Rudolf Stephan
Musiker der Moderne

Spektrum der Musik

Herausgegeben von
Albrecht Riethmüller

Band 3

Rudolf Stephan

Musiker der Moderne

Porträts und Skizzen

Herausgegeben von
Albrecht Riethmüller

Laaber

Die Deutsche Bibliothek – CIP-Einheitsaufnahme

Stephan, Rudolf:
Musiker der Moderne: Porträts und Skizzen / Rudolf Stephan. –
Laaber: Laaber, 1996
(Spektrum der Musik; Bd. 3)
ISBN 3-89007-315-8

ISBN 3-89007-315-8
© 1996 by Laaber-Verlag, Laaber
Gesamtherstellung: Friedrich Pustet, Regensburg
Umschlagbild: Wassily Kandinsky, Vignette aus:
„Über das Geistige in der Kunst", München 1912

music

Inhaltsverzeichnis

Vorwort 7

Über August Halm 9

Hans Pfitzners Eichendorff-Kantate *Von deutscher Seele* 21

Max Regers Kunst im 20. Jahrhundert
Über ihre Herkunft und Wirkung 37

Alexander Zemlinsky
– ein unbekannter Meister der Wiener Schule 65

Arnold Schönberg 99

Franz Schreker 117

Alban Berg 133

Der frühe Hindemith 141

Einfachheit oder Vereinfachung?
Zur Musik des jungen Orff 149

Ein Blick auf die Universal-Edition
Aus Anlaß von Alfred Schlees 80. Geburtstag 157

Wissenschaft als Kunst
Theodor W. Adorno zur zehnten Wiederkehr des Todestages 165

Nachweise 169

Personenregister 171

music

Vorwort

Im Unterschied zu der 1985 in Mainz und Darmstadt erschienenen Sammlung *Vom musikalischen Denken* sind die im vorliegenden Band vereinten neueren, verschiedentlich an entlegener Stelle erschienenen Studien von Rudolf Stephan nicht nach Themen gebündelt. Vielmehr wird in ihnen – dem Alter nach geordnet – je eine Musiker-Figur skizziert oder porträtiert. Neben den Komponisten Pfitzner, Zemlinsky, Reger, Schönberg, Schreker, Berg, Hindemith und Orff stehen August Halm, Alfred Schlee und Theodor W. Adorno. Sie sind nicht aufgenommen, um zu suggerieren, daß sie dank der Kompositionen, die wenigstens zwei von ihnen publiziert und hinterlassen haben, mit den anderen auf eine Stufe gestellt werden sollen, wohl aber deshalb, weil schon eine flüchtige Rückbesinnung auf die Bedeutungsbreite des Wortes Musiker es gestattet, um nicht zu sagen fordert.

Gemeinsam ist diesen Musikern, daß sie cum grano salis der Väter- und Großvätergeneration des Autors angehören. Es sind Figuren, die seine Vorstellung von Musik als Musik der Moderne tief beeindruckt und beeinflußt haben. Ihre Namen sind für den Autor repräsentativ und für die Zeit typisch. Vollständig sind sie natürlich nicht, nicht einmal im Blick auf ihn selbst. Mahler, Webern und – um wenigstens zwei Namen aus dem nicht deutschsprachigen Raum zu nennen – Bartók und Strawinsky könnten neben vielen anderen hinzutreten. Jene beiden in Auswahl erfaßten Generationen, so scheint es, bilden gleichwohl die musikalische Atmosphäre, in der Rudolf Stephan zu atmen begann.

Das Schaffen der hier versammelten Musiker aus der Zeit nach Wagners Tod überschneidet sich in Jahrzehnten der ersten Hälfte des 20. Jahrhunderts, in deren Mitte der Autor geboren wurde. Die Erschütterungen in der ersten Jahrhunderthälfte, voran die beiden Weltkriege, zudem die sozioökonomischen Umschwünge und ideologischen Verblendungen aller Art zogen das einst stabile Ideal der bürgerlichen Musik in Mitleidenschaft, und dies nicht etwa an der Oberfläche eines Musikbetriebs, der allen Anfeindungen zum Trotz ohne große Schrammen und Schrunden glattpoliert überstanden hat, sondern in den innersten Zellen und Fibern der Musik selbst. Nur vor der extremen Spannung zwischen oberflächlichem Glanz und innerlich verspürter Katastrophe konnte Adorno (in § 143 der *Minima moralia* von 1951) dekretieren: »Aufgabe von Kunst heute ist es, Chaos in die Ordnung zu bringen.«

Die Entwurzelung der bürgerlichen Musik in der Moderne – von einigen betrieben, von anderen aufzuhalten versucht –, mithin das, was der Autor als Strömungen in seiner Jugend vorfand, hat später dann den Musikhistoriker, den Musikgelehrten Rudolf Stephan nachhaltig bewegt. Seine erste und letzte Sorge gilt der als gefährdet empfundenen Musik als Kunst, der Tonkunst, und zwar der als absolut begriffenen, deren Reinheit ihm schon in der Programmusik makuliert erscheint. Indem er auf die Musiker der Moderne schaut, steht der Zustand der Kultur als ganzer auf dem Spiel.

Der Strauß der Porträts ist dem Autor als Gruß zu seinem 70. Geburtstag am 3. April 1995 zugedacht. Rudolf Stephan, im vollen Wortsinne selbst ein μουσικὸς ἀνήρ, verfügt über eine eigene Meisterschaft in der Darstellung. Nicht zuletzt von ihr soll der Band Zeugnis ablegen. Es ist zu erfahren, daß und wie sehr seine Schreibkunst, weit entfernt von allem Traktathaften, ihren Ausgang nimmt vom gesprochenen Wort, vom Rhetorischen, vom Gedanken und seiner Verknüpfung im Dienste des lebendigen Vortrags.

Der Herausgeber, der die Auswahl getroffen hat, dankt dem Autor herzlich für seinen Rat und seine Unterstützung beim Zustandekommen des Bandes. Für die Erfassung der Texte in Dateien dankt er in gleicher Weise Elke Tobeck, für die Hilfe beim Korrekturlesen Wolfgang Behrens, Jens Luckwaldt und Dr. Michael Wittmann vom Musikwissenschaftlichen Seminar der Freien Universität Berlin.

Albrecht Riethmüller

Über August Halm

I.

Die Voraussetzungen zu dem, worüber wir sprechen wollen, nämlich zur Verbindung von Verantwortung und Musik, wurden im 18. Jahrhundert geschaffen, dem Jahrhundert des Entstehens der Erkenntnistheorie. Man begann damals, die verschiedenen Weisen der Erkenntnis zu erforschen und in ein System zu bringen. Ich will diesen Vorgang jetzt nicht beschreiben – jedenfalls aber gibt es neben der Erkenntnisweise, in der die Logik dominiert, die also ein begriffliches Denken oder eine begriffliche Analyse voraussetzt und zum Teil auch erst entwickelt, eine andere Erkenntnis; sie ist nicht an Begriffen, sondern an der Anschauung orientiert: die ästhetische. Sie steht im 18. Jahrhundert gleichwertig neben der begrifflichen Erkenntnis. Bei Kant steht neben den *Vernunftkritiken* die *Kritik der Urteilskraft*, das heißt die Kritik der ästhetischen Urteilskraft. Wir müssen davon ausgehen, daß diese beiden Erkenntnisweisen gleichrangig sind, wenn sie auch unterschiedliche Methoden anwenden und verschiedene Erfahrungen zugrunde legen. Jedenfalls ist das die Voraussetzung dafür, daß wir Kunst als etwas qualitativ Höheres empfinden denn als bloßen Genuß, daß wir auch von den Inhalten absehen können, daß wir sie als Kultur, als einen Träger der Kultur empfinden. Dieses setzt voraus, daß sich eine Metaphysik der Kunst entwickelt hat beziehungsweise jene ästhetische, begriffslose Erkenntnis, die jede Kunst für sich in gleicher Weise nutzbar machen und prüfen muß, ob in ihrem Bereich etwas Derartiges möglich ist. Die Musik hat sich damit relativ schwer getan; und manche Künste, die im 18. Jahrhundert auf dem gleichen Rang standen, z.B. die Gartenbaukunst (die etwa für Kant der Musik durchaus ebenbürtig war), haben diesen Sprung nicht getan. Infolgedessen ist die Gartenbaukunst aus dem Kanon der Künste ausgeschieden.

Jede Kunstgattung mußte also für sich erweisen, daß sie selber aus sich heraus Erkenntnisvorgänge mobilisieren kann. Dieses ist in der Musik schwierig gewesen. Die Voraussetzung dafür war, daß eine Metaphysik der Instrumentalmusik entstand. Bis dahin war das Wort oder eine begleitende Handlung ein Teil der Musik. Erst seit Wackenroder und Tieck ist es möglich, daß die Musik als etwas begriffen wird, das ganz aus sich heraus lebt und zu dem etwas, was bisher ein Bestandteil der Musik war, z.B. ein

Text, als etwas Hinzukommendes, Außermusikalisches empfunden wird. Bis dahin galt eine vom Text unabhängige Musik als eine Art defizienter Modus, eine unvollständige Musik. Für Schütz beispielsweise, der keine Instrumentalmusik komponiert hat, wäre es unmöglich gewesen, Instrumentalmusik zu schreiben – dies war für ihn eine submisse Tätigkeit. Der Vorgang, daß die Instrumentalmusik im Laufe des 18. Jahrhunderts zu demselben Rang emporgekommen ist wie die Vokalmusik, wurde nachträglich durch die Erkenntnisfähigkeit des musikalischen Materials legitimiert, das bedeutet: die Musik erreichte den Rang einer autonomen Kunst; ihre Erkenntnismittel sind Schallereignisse, Tonereignisse. Dieses wiederum setzt voraus, daß die Musik als eine Sprache empfunden wird. Sprache – ob es nun die Sprache des Gefühls, die Sprache des Herzens, die Sprache der Leidenschaft ist – ist verständlich, und zwar schon in ihrem Gestus. So ist die Musik auch anfänglich in Analogie zur Rede verstanden worden; denken Sie nur an Mattheson, der sie im Zusammenhang mit der Gerichtsrede und ihren rhetorischen Figuren erklärt hat. Dies wirkte das ganze 18. Jahrhundert hindurch und bis ins 19. hinein. Man nannte die Musik »sprechend«. Die Musik sagt etwas; sie sagt Gedanken, musikalische Gedanken. Ein musikalischer Gedanke ist etwas, was weiterwirkt, also nicht nach dem Erklingen erlischt, sondern eine Wirkung zeitigt – und zwar nicht als Inhalt, der sich begrifflich fassen läßt, sondern als musikalischer Inhalt. Und dieser wirkt musikalisch weiter. Herder hat dies als »Ursprache« bezeichnet. Wir brauchen die verschiedenen Verhältnisse von Musik und Sprache hier nicht weiter zu erörtern. Für uns ist nur wichtig, daß im Verlauf dieses Vorganges der Text – die Dichtung, die vertont wurde – von einem Teil der Musik zu etwas Außermusikalischem wurde. Wenn sie verwendet wurde, dann wurde sie in einen an sich auch autonom erklärbaren Vorgang mit einbezogen. Jedenfalls ist die Instrumentalmusik von jetzt an ein selbständig aussagekräftiger, wenn man von der normalen Sprache ausgeht, könnte man sagen: metasprachlicher Bereich. (Übrigens entstand diese Entwicklung zur gleichen Zeit wie die mathematischen Formeln, die ja ebenfalls eine inhaltsgesättigte Zeichensprache, eine Metasprache darstellen, die wir aus unserem Leben auch nicht mehr wegdenken können.)

Musik ist dadurch, daß sie etwas sagt und daß sie Gedanken hat, mehr geworden als bloß Pläsier. Sie hat damit nicht aufgehört, auch pläsierlich zu sein, denn es war immer eine Aufgabe des Künstlers, das Pläsierliche mit einzubeziehen in das Bedeutsame oder es (je nachdem, was für eine Aufgabe er sich gestellt hatte) zu vernachlässigen. Dies hatte natürlich zur

Folge, daß eine Musik entstand, die dieses Pläsierliche allein weiter kultivierte und die den Anspruch der Tonkunst, wie man emphatisch sagte, gar
nicht erhob (denken wir z.b. an das Variationswesen im Ausgang des 18.
Jahrhunderts). Die Grundlage, daß Musik eine Art Sprache wurde, jedenfalls ein bedeutender Vorgang, der etwas sagt, hatte zur Vorbedingung,
daß sie Charaktere bilden konnte.

Musikalische Charaktere werden ja definiert durch Takt, Tempo und
rhythmische Grundmuster. Das ist der Außenhalt. Der innere Halt dagegen
ist, daß etwas entsteht wie musikalische Logik, daß die Ereignisse in zwin-
gender oder sagen wir: in einleuchtender Weise so aufeinander folgen, daß
jedes Ereignis aus den vorhergehenden hervorgehend – nicht gedacht, sondern empfunden wird (denken Sie z.b. nur an die Auflösung des Septak-
kords). Im 19. Jahrhundert entstand für diesen sprachlichen Bereich die
Vorstellung – und Hanslick hat dem Ausdruck gegeben –, daß die Musik
aus »tönend bewegten Formen« besteht. Dieser Satz wird heute meist
falsch interpretiert, denn hier wird ein doppelter Formbegriff vorausge-
setzt; Form nicht nur im Sinne von musikalischer Architektur, sondern als
tonsprachliche Geformtheit. »Tönend bewegte Formen« heißt nichts anderes, als daß die musikalischen Figuren, der Figureninhalt eines Taktes,
musikalisch bedeutsam ist; es heißt, daß die Musik nichts ist als Musik.
Nicht, daß sie etwa ornamental wäre, sondern es ist damit durchaus gemeint, daß sie in sich bedeutsam ist: die »tönend bewegten Formen« sind
bedeutsame musikalische Figuren. Das Außermusikalische ist in einer solchen Art der Gestaltung nebenbei durchaus möglich, aber es hat keine für
den Tonsatz, für das Verständnis und für den Sinn der Sprache konstitutive
Bedeutung. Es kann durchaus in einer Liedbegleitung ein Gewitter imitiert
werden oder Vogelgezwitscher oder irgendetwas – das spielt überhaupt
keine Rolle, insofern als es ja für den musikalischen Sinn keine konstitutive Bedeutung hat. Wir müssen die beiden Formbegriffe – auf der einen
Seite Geformtheit und auf der anderen Seite musikalische Architektur –
gut auseinanderhalten.

Das ist die eine Voraussetzung. Die zweite betrifft die Konstitution unseres Musiklebens, und es geht mir darum, die Voraussetzungen der Halm-
schen Gedanken zu skizzieren. Das Musikleben, unser typisches Konzertleben, hat sich im 19. Jahrhundert entwickelt. Es hat zwar einen etwas anderen Charakter gehabt als heute, aber das Zentrum bildeten schon die
großen Konzertveranstaltungen. Daneben entstand ein reiches Vereinsleben (darüber wird man gerade den Schwaben nichts sagen müssen), und
dieses Vereinsleben, insbesondere die Männerchöre, diente keineswegs nur

der Kunstpflege, sondern hauptsächlich der Geselligkeit. Diese patriotisch
gestimmte Geselligkeit hat eine wichtige Rolle im Musikleben gespielt.
Auch auf die Schulen hat das abgefärbt. Wie Sie wissen, hatte in der
Schule des 19. Jahrhunderts die Kunst überhaupt keinen Platz. Kunstun-
terricht gab es nicht; es gab Singen und Zeichnen und Turnen; dieses wa-
ren die Fächer, und gesungen wurden gesellige Lieder, patriotische Lieder,
Kirchenlieder – etwas anderes nicht. Die Kunst wurde in diesem Unter-
richt nur unter dem Gesichtspunkt des Geselligen, Patriotischen und
Kirchlichen ins Auge gefaßt. Im Hintergrund stand dabei vielleicht die
Vorstellung von Thron und Altar – wir wollen das nicht weiter untersu-
chen. Dasselbe gilt für die Hausmusik. Sie war reine Privatangelegenheit.
Die intensive Musikpflege war privat, und zwar eine Sache des sozialen
Status. Man hat sozusagen seinen Status durch bestimmte musikalische
Tätigkeiten gefestigt und auch nach außen hin gezeigt. Die Kinder lernen
Klavier usw. – Musik gehört dazu. Dies ist auch eine Nachahmung aristo-
kratischer Sitten, wo ja die Musik ebenso dazugehörte wie z.B. das Reiten
und Jagen (heute würde man sagen Golf oder Tennis). Um diesem sozialen
Status Genüge zu tun, sind natürlich auch sehr viele Leute ohne musikalische Vorbildung in das Musikleben gedrängt worden. Sie verlangten eine
Anleitung, und dabei sind dann so problematische Dinge entstanden wie
der *Führer durch den Konzertsaal* von Hermann Kretzschmar – ein berühmtes Werk, in dem die alte Affektenlehre auf eine Weise erneuert wird,
daß es schon zum Widerspruch herausfordert; jedenfalls wird musikalisch
nichts erklärt.

Ein wesentlicher Zug des damaligen Musiklebens war, und das hängt
jetzt mit dem in vieler Hinsicht sozial geprägten Wertbewußtsein zusammen, daß sich diese verschiedenen Arten des Musiklebens auf verschiedenen Ebenen abspielten. Von den Männergesangsvereinen bis hinauf zu den
Oratorienchören, die sich damals der Bachpflege zuwandten (was noch
etwas Besonderes war, weil Bach ja neu entdeckt wurde), war es eine gewaltige Hierarchie. Und dies setzte, insofern es eine künstlerische Pflege
war und nicht bloß Geselligkeit, etwas voraus, was sich in der Musik
ebenfalls nicht von selbst verstand und was sich auch erst im 19. Jahrhundert herausgebildet hat: die Vorstellung von einer Klassik. Gespielt wurde
ja bis dahin immer nur das Zeitgenössische, jeweils Moderne. Von nun ab
aber wurden – sozusagen aus Verpflichtung einer Sache gegenüber, die
man als Wert erkannte – auch ältere Werke weiter gepflegt, und zwar in
einer Art und Weise, die man für angemessen hielt, wobei man vor Anstrengungen und auch vor finanziellen Opfern nicht zurückschreckte. (Es

gehört ja zur bürgerlichen Organisation, daß man für das, was einen interessiert, was man für einen Wert hält, Opfer bringt!) So wurde man Mitglied entsprechender Vereine und förderte damit z.b. die Pflege einer Musik, die damals keineswegs üblich war – Bach und Händel – und die sich auch geschäftlich noch nicht rentierte.

Im späteren 19. Jahrhundert war zwar die Idee der »absoluten Musik« durch Wagners Sieg ins Hintertreffen geraten; Nebendinge wurden zur Hauptsache der Musik. Und doch hat selbst Wagner der alten Idee in gewisser Weise Rechnung getragen, indem er das Erbe der klassischen Symphonik für sich in Anspruch nahm und die Einsicht formulierte, daß für die Gestaltung eines Musikwerkes, das auf Text verzichtet, alles – selbst das Verlassen einer Tonart – begründet sein müsse. Im Falle des Dramas galten außermusikalische Gründe; sonst aber müssen innermusikalische Gründe dasein, damit ein musikalisches Ereignis sich legitimiert.

In diese Welt, in der Wagner herrschte, in der ein reich gestuftes Musikleben existierte, das durch neue Schichten, wir können sagen, neue bildungsbürgerliche, teilweise auch parvenühafte Schichten erweitert wurde – in diese Welt ist August Halm eingetreten. Und zwar in scharfer Opposition.

II.

Jetzt komme ich zum zweiten Teil und sage etwas über die Biographie. August Halm wurde am 26. Oktober 1869 im Pfarrhaus zu Großaltdorf im schwäbischen Frankenland geboren. Seinen ersten künstlerischen Unterricht erhielt er durch seine Eltern. Neben dem Zeichnen, das er sein ganzes Leben lang pflegen sollte – Tausende von Zeichnungen sind erhalten –, spielte selbstverständlich Musik eine erhebliche Rolle. Nach dem Besuch der Volksschule in seinem Heimatort und des humanistischen Gymnasiums in Schwäbisch Hall, wo er nebenher auch Privatmusikunterricht erhalten hat, studierte er evangelische Theologie an der Universität Tübingen, betrieb freilich auch weiterhin musikalische Studien, und zwar bei dem dortigen akademischen Musikdirektor Dr. Emil Kauffmann. In dessen Hause lernte er Hugo Wolf kennen, der in Schwaben – eben dank der Wirksamkeit Kauffmanns und einiger Freunde – insbesondere wegen seiner Mörike-Vertonungen begeistert aufgenommen wurde. Hier begegnete er auch der Musik Anton Bruckners, die für sein Leben bestimmend werden sollte. Nach dem Abschluß dieses Studiums ging Halm für ein Jahr als

Pfarrvikar in ein nicht weit von Tübingen entferntes Dorf, entschloß sich aber bald, Musik zu studieren. So ging er an die damals in hohem Ansehen stehende Königliche Musikschule in München, wo er unter anderem Komposition bei Joseph Rheinberger und Dirigieren bei Felix von Weingartner studierte. Das Studium an dieser Akademie befriedigte ihn jedoch in keiner Weise; er empfand es vielmehr als geistfeindlich, und so entschloß er sich, als Autodidakt weiterzuarbeiten. Im Jahre 1895 zog er nach Heilbronn, wo er die Leitung eines Vereins für klassische Kirchenmusik übernahm und das reiche musikalische Archiv sichtete. Daneben gab er privaten Instrumentalunterricht. Im Jahre 1900 lernte er den Reformpädagogen Gustav Wyneken kennen, mit dem er sich bald sehr befreunden sollte. Auch erhielt er den Auftrag, für die bekannte populärwissenschaftliche Reihe »Sammlung Göschen« eine Harmonielehre zu schreiben. So begann seine Tätigkeit als Musikschriftsteller. 1903 ging er durch Vermittlung Wynekens als Musiklehrer an das Landerziehungsheim Haubinda in Thüringen, dessen Leiter Dr. Hermann Lietz war (es war übrigens die erste der später so bekannt gewordenen »Lietzschulen«). 1906 gründete Wyneken mit einigen Kollegen die »Freie Schulgemeinde« in Wickersdorf (ebenfalls in Thüringen), wo sich auch Halm in führender Position betätigen sollte: er leitete den Chor und das Orchester, erteilte auch Einzelunterricht, und vor allem hielt er seine bald bekanntgewordenen, für die gesamte Musikpädagogik wegweisenden »Konzertreden« (täglich übrigens), die in gleicher Weise Hörende und Spielende in die musikalische Substanz der Werke einführten. Dabei ging es Halm ausschließlich um das Musikalische – nicht etwa um die Stimulierung von Stimmungen oder um Anregung von irgendwelchen Assoziationen. Das Repertoire dieser Vorführungen war absichtsvoll einseitig. Bach und Beethoven standen im Vordergrund, daneben Haydn, Händel und Schubert; die neueren Romantiker – Schumann, Mendelssohn, Brahms – und die Modernen blieben unbeachtet, desgleichen das damals im Schulbetrieb vorherrschende volkstümliche gesellige Lied. Gesungen wurde nicht. Als 1910 die herzoglichen Behörden Wyneken zum Rücktritt zwangen, schied auch Halm aus. – Er übersiedelte nach Ulm, leitete dort eine Liedertafel und gab Unterricht an einer höheren Schule. Bereits in diesem Jahr gründete Wyneken mit mäzenatisch gestimmten Freunden eine Gesellschaft zur Herausgabe der Kompositionen von August Halm, die zunächst im Verlag Zumsteeg in Stuttgart erschienen. 1913 heiratete Halm Wynekens Schwester. Es erschien auch das erste seiner ganz selbständigen Bücher, vielleicht sein Hauptwerk: *Von zwei Kulturen der Musik*. Das zweite, sehr zugehörige Buch, *Die Symphonie*

Anton Bruckners folgte 1914. Ein Jahr lang (1913–1914) war Halm Musikkritiker bei einer Stuttgarter Tageszeitung. Aber wichtiger war ihm die Möglichkeit, bei musikalischen Morgenfeiern die Symphonien Bruckners an zwei Klavieren zu spielen und diese dann zu erläutern. Sein Partner war dabei der Musikschriftsteller Karl Grunsky, der ebenfalls musikalischer Autodidakt und ein großer Verehrer des bis dahin nur wenig anerkannten Komponisten war. 1914 ging Halm als Lehrer für Musik an die evangelische Lehrerbildungsanstalt nach Esslingen. 1920 kehrte er mit Wyneken zusammen nach Wickersdorf zurück, wo er seine Arbeit unter den veränderten gesellschaftlichen Bedingungen mit größtem Erfolg fortsetzen konnte. Ein dreiviertel Jahr vor seinem 60. Geburtstag, am 1. Februar 1929, verstarb er ganz plötzlich an den Folgen einer verschleppten Blinddarmentzündung in Saalfeld (Thüringen). Seine Werke erschienen später im Bärenreiter-Verlag. Zur Pflege von Halms Werk entstanden zwei Gesellschaften, deren Wirksamkeit aber, verursacht durch die politische Entwicklung und andere äußere und innere Umstände, beschränkt blieb. Der Nachlaß von August Halm befindet sich hauptsächlich an zwei Orten: auf der Burg Ludwigstein an der Werra und im Schiller-Nationalmuseum in Marbach am Neckar.

Halms Wirken galt der Musik als Tonkunst, seine musikerzieherische Tätigkeit der Bestätigung und Befestigung der Position der Tonkunst als Lebensmacht. Als geistige Macht, wie er sie verstand, sollte sie das Leben des einzelnen und des ganzen Volkes durchdringen. Seine Hoffnung setzte er dabei weniger auf die bereits bildungsbürgerlich geprägten Kreise, als vielmehr einerseits auf die Jugend, andererseits auf die vor allem seit der Revolution von 1918 neu ins Kulturleben drängenden Schichten, soweit sie nicht einfach die alten Ideale und Vorstellungen übernehmen wollten, sondern neue suchten. Sein Ziel war ein geisterfülltes Leben, das sich jeder einzelne, freilich getragen von der Gemeinschaft und in sie hinein wirkend, erarbeiten sollte. Es ging ihm um die Erkenntnis der Lebensgesetze der Kunst. So zielte er etwa in seinem Instrumentalunterricht – er schrieb sowohl eine Violin- wie eine Klavierschule – nicht auf die Erlangung von Virtuosität, sondern auf eine technische Fertigkeit, die ganz im Dienste der Darstellung des musikalischen Inhalts steht. Dabei galt es für ihn vor allem, eingeschliffene Bequemlichkeiten nicht zuzulassen – z.B. das Spiel auf leeren Saiten: er fing den Violinunterricht nicht mit D-Dur und A-Dur, sondern mit Es-Dur und B-Dur an, so daß man immer von Anfang an den ersten Finger aufsetzen muß...

III.

Die Voraussetzung, sich so zu verhalten, war natürlich die Entwicklung von Unterscheidungsvermögen, von Kritik. Und zwar ging es ihm zunächst um die Unterscheidung von Kunst und Nicht-Kunst. Dazu lese ich Ihnen einige Sätze aus einem der allerersten Artikel, die er geschrieben hat. Wir wollen uns in den Zusammenhang hineindenken: es geht hier um die Unterscheidung zwischen einer durchaus geschätzten, aber nicht zum Bereich der Kunst gehörenden, naiven Melodie und dem, was Kunst eigentlich auszeichnet. »Die naive Melodie hat den Reiz der Form, die künstlerische hat außerdem noch etwas Höheres, nämlich Stil; ihre Einheitlichkeit ist tiefer begründet, sie ist mehr als nur Gleichförmigkeit. Die naive Melodie kann sehr wertvolle Gebilde schaffen, sie kann nicht nur als glücklicher Fund erfreuen, sie kann nicht nur graziös, reizvoll und liebenswürdig, sondern auch Trägerin eines echten intensiven Fühlens sein. Die Gefahr, welche ihr müheloser Genuß in sich birgt, ist aber die Verwöhnung des Hörers, welcher sich der geistigen Anspannung entwöhnt, ja die Spannkraft durch Mangel an Übung gar nicht bekommt, welche dazugehört, einer großzügigen Melodie, dem weiten Schwung ihrer Linien zu folgen« (*Neue Musikzeitung* 1902, S. 171).

Das Wesentliche an dieser Unterscheidung – später würde sich Halm anders ausgedrückt haben – ist die Gegenüberstellung von mühelosem Genuß und geistiger Anspannung, die einem bedeutenden Inhalt selbstverständlich geziemt. Er wird nicht müde darauf hinzuweisen, daß ein bedeutender Künstler gegen den »mühelosen Genuß« wirkt. So schreibt er z.B. in seiner *Harmonielehre* an einer Stelle: »Beethoven erfindet immer neue Mittel, um jene Abart des Wohlgefühls und Behagens, welche im Grunde Bequemlichkeit und Gedankenlosigkeit ist, zu verbannen« (*Harmonielehre*, 1905, S. 116), das heißt, Beethoven hat seine Wirkungsmittel so eingesetzt, daß sie das bequeme und schludrige Hören, das unaufmerksame Hören, unmöglich machen. Dieses ist ja in einer späteren Kunsttheorie unseres Jahrhunderts, im russischen Formalismus, zum Hauptprinzip erhoben worden. Danach ist es eine wesentliche künstlerische Tätigkeit, die automatische Apperzeption zu unterbrechen und ein bewußtes Hören zu erzwingen, die bewußte Aufnahme zu ermöglichen. Es wird ein höherer Grad an Bewußtheit nicht nur verlangt, sondern auch erreicht; und es wird das Gewissen geschärft. Entsprechend muß die musikalische Bildung, die Ausbildung mit Bewußtsein entwickelt werden, d.h. es müssen gewisse Sorten von schlampigen Fehlern vermieden werden. Wenn von den Normen abgewichen wird, müssen Begründungen dafür geliefert werden können. Alles muß begründbar sein; man kann alles schreiben, aber es muß begründet werden können. Diese Forderung schafft »dem Schüler der Komposition große Gewandheit und feinen Tonsinn«, also das, was Halm »musikalisches Gewissen« (*Harmonielehre*, S. 117) nennt.

Wir sollten großes Gewicht darauf legen, daß sich das Gewissen durch Übung und durch die entsprechende intellektuelle Schulung entwickelt. Dabei wird nicht nur die Befolgung von Gesetzen erfordert, sondern als höhere Form die Fähigkeit, sich selber Gesetze zu stellen. Halm erläutert das anhand der Durchführung von Beethovens *Pastorale*. »Für die Durchführung gibt es weniger bestimmte Gesetze als für die übrigen Teile der sogenannten Hauptform.« (Hauptform nannte man im 19. Jahrhundert die Sonatenform, weil es die Form der musikalischen Gedankenentwicklung war.) »Der Komponist darf sich aber nicht etwa der Laune seiner Einfälle überlassen, sondern hat selbst die Regel für die Entwicklung aufzustellen, womit die Verantwortung vermehrt ist« (*Der Kunstwart* 1905, S. 545). Das heißt, die Verantwortung für das Tongeschehen ist nicht nur in der Komposition selbst vorhanden, sondern auch in der Aufstellung der Regeln, die dann befolgt werden müssen. Wobei es sich nicht unbedingt um zwei Vorgänge handeln muß; sondern es kann im Denken durchaus ein Vorgang sein, der aber auf Grund seiner logischen Struktur zwei Schritte darstellt.

»Daß die ganze Durchführung aus einem Thema entwickelt wird, verrät einen Geist von gewaltiger Schöpferkraft, der im Aufbau folgerichtiger Musik höchste künstlerische Weisheit bekundet« (*Der Kunstwart* 1905, S. 547). Hier kommt jetzt ein Zweites ins Spiel, nämlich die Folgerichtigkeit. Diese Folgerichtigkeit ist ja, wie ich vorhin sagte, der Grund dafür, daß wir ein musikalisches Ereignis als Konsequenz eines anderen empfinden. Das ist die Grundlage dessen, was wir (mit Halm) musikalische Logik nennen können und was natürlich anderen Gesetzen als die formale Logik folgt, aber doch von uns als zwingend empfunden wird. In diesem Zusammenhang gibt es eine frühe Stelle bei Halm, die ich Ihnen nicht vorenthalten möchte. Sie bezieht sich auf die Klänge. Es ist ja die Zeit, zu Anfang unseres Jahrhunderts, in der beispielsweise von Arnold Schönberg dichteste motivisch-thematische Beziehungen gefordert werden. Aber ebenso muß den melodischen Triebkräften des einen Akkords in den anderen nachgehört werden. Bei Halm heißt es: »Wir lieben es nicht mehr, Akkorde aneinanderzufügen, von denen der eine die freie Wahl der Bewegung in verschiedene andere offen hat, sondern der erste Akkord soll den

Zwang seiner Lösung nach einer bestimmten Richtung schon in sich tragen« (*Harmonielehre*, S. 57). Das heißt: auch auf der untersten Stufe der musikalischen Fortschreitungen soll Logik walten; die Fortgänge sollen sozusagen in sich als zwingend empfunden werden, damit wie bei einer Rede das Ganze sinnvoll wird. Daß bei dieser Auffassung die lockere Fügung als ein Schaden beziehungsweise als negativ gilt, liegt in der Natur der Sache.

Auf mehreren Ebenen also muß diese Logik vorhanden sein, auf der der Harmonik, aber wie gesagt auch schon im thematischen Satz; und eine Stelle will ich zitieren, aus der hervorgeht, daß dieses, was hier als Konsequenz erscheint, diese Folgerichtigkeit, eines der wesentlichsten Wertkriterien darstellt, wir können sagen: das oberste Wertkriterium. »Die Kenntnis der Musik beruht auf der Erkenntnis der musikalischen Vorgänge, der Funktion musikalischer Kräfte, wie sie in den Akkorden und Akkordfolgen, in den Formen, d.h. Lebens- und Werdegesetzen der Melodie und größerer Organismen, z.B. einer Fuge, eines Symphoniesatzes, wirksam sind« (*Wickersdorfer Jahrbuch* 1908, S. 62). Hierbei müssen wir bedenken: die Vokabeln, deren sich Halm bedient – Energie oder wirkende Kräfte –, lagen damals in der Zeit. Ich darf daran erinnern, daß man ja Theoretiker wie Halm, Ernst Kurth oder auch Heinrich Schenker »Energetiker« genannt hat, weil sie von dem von Wilhelm Ostwald geprägten Energiebegriff ausgingen: die Energie war als wirkende Kraft die einzige wirkliche Substanz. Dies wurde aus methodologischen und erkenntnistheoretischen Gründen proklamiert.

Zurück zur musikalischen Form, zur Form als der Konsequenz· der musikalischen Entwicklung. Die musikalischen Formen sind für Halm keine vorgegebenen Schemata, sondern, wie er es nennt, »Lebensgesetze der Tonkunst« (*Von zwei Kulturen der Musik*, 1913, S. 28). »So ist die Sonatenform ein höheres, geistiges Gesetz, das über die Harmonie herrscht; so ist auch ein Thema im besten Sinne des Worts das, was das Wort bedeutet, nämlich ein Gesetz, das die Kräfte des Rhythmus, der Harmonie zu seinem Dienst erkürt, die ihm gegenüber Naturkräfte sind« (*Von zwei Kulturen der Musik*, S. 205f.). Wir können sagen: alle die verschiedenen Satztechniken ermöglichen und konstituieren erst musikalische Form, sie müssen jedoch als einzelne wirken und zur Geltung gebracht werden. Formale Meisterschaft entsteht erst – und durchaus im Gegensatz zur kontrapunktischen Meisterschaft –, wenn ein formkonstitutiver harmonischer Vorgang zum Bewußtsein gebracht wird, d.h. wenn er neben dem thematischen Geschehen als etwas Wesentliches empfunden werden kann. Jede einzelne Satztechnik muß selber ein Wirkfaktor sein, um innerhalb des Werkes eine reiche Differenzierung der Wirkungsmittel hervorzubringen.

Eine der allerwesentlichsten Erkenntnisse, die August Halm gewonnen hat, ist die Lehre von den musikalischen Zeiten – daß nämlich die musikalische Form »Zeiten« hat, also innerhalb eines Formvorganges nicht alles an jeder Stelle stattfinden kann, sondern daß die einzelnen verschiedenen Teile – etwa vor oder nach dem Doppelstrich in der Sonate – einen anderen Charakter und auch eine andere musikalische Struktur haben. Sie sind also nicht austauschbar. Das wurde schon vorhin anläßlich der Durchführung der *Pastorale* angedeutet. Am Anfang, im ersten Teil herrschen vorgegebene Gesetze, und im zweiten Teil muß der Autor, der Komponist sich selbst die Gesetze geben. Wir können sagen, im Verlauf der geschichtlichen Entwicklung ist es ja dann so geworden, daß der Komponist für das Ganze eines musikalischen Werkes sich selbst die Gesetze gibt – ein Vorgang, den ich jetzt hier nicht ausführen kann, der aber die Erkenntnis der verschiedenen Zeiten der Form voraussetzt. In seinem Buch *Von zwei Kulturen der Musik* hat August Halm die verschiedenen Weisen von musikalischen Vorgängen beschrieben – solche die zielgerichtet sind, solche die Erinnerungen wachrufen und auf wie verschiedene Art sie zielgerichtet sind. Natürlich alle bezogen auf den harmonischen Satz, aber wir können davon ausgehen, daß diese Beschreibung auch ohne die Grundlagen, die er als naturgegeben ansieht, ihre Bedeutung und ihre Wirksamkeit hat. Alles dieses – die Musik als Logik, die Musik als Form, die Form als Lebensgesetz der Musik und das Thema beziehungsweise die thematische Erfindung als Träger des musikalischen Gedankens und als Erfüller dieses Lebensgesetzes – bildet die Voraussetzung dafür, daß die Musik als Tonkunst *Erkenntnisvermögen* ist. Die Bedeutung, die musikalische Logik und ästhetische Wahrheit für diesen Charakter der Musik als Tonkunst haben, ist die Konsequenz von der Abkehr vom Automatismus, d.h. die Folge einer sich ständig steigernden Rationalität, die als Negation eingeschliffener Konventionen erscheint. Das heißt nicht, daß die Konvention in ihr Gegenteil verkehrt wird – dies kann sein, es muß aber nicht sein. Auch wenn die Konvention als Konvention sichtbar gemacht wird, also nicht nur als etwas Natürliches gilt, ist dem schon Genüge getan.

Die *Gesetzmäßigkeit* – wir erinnern uns, daß auch Schönberg auf Gesetzmäßigkeit den größten Wert gelegt hat: »Wo kommt eigentlich der zweite Ton her beim Komponieren?« (Diese Frage hat sich bei ihm noch ganz anders geäußert; er sagt beispielsweise, er unterliegt einer strengen Kontrolle und kann doch ganz spontan komponieren – das will ich jetzt nicht ausführen.) Jedenfalls hat für alle Komponisten in unserem Jahrhundert, die etwas Verantwortliches komponieren wollten, die Notwendigkeit bestanden, sich selber Regeln zu setzen oder Gesetze aufzustellen, denen sie folgen. Nicht, daß das ein formuliertes Gesetz sein muß, sondern daß eine Kontrolle bestanden hat. Bei Schönberg haben wir ja die Vorstellung des musikalischen Raumes, der dann die »Kompositionsmethode mit zwölf nur aufeinander bezogenen Tönen« ermöglichte, die ja viele historische Voraussetzungen hat: den Thematismus, die Chromatik, die Emanzipation der Dissonanz, die musikalische Prosa – aber das will ich nicht wiederholen, das werden Sie alles wissen. Wir haben heute diese Vorstellung, daß wir uns in einem musikalischen Raum bewegen, der vom Komponisten definiert wird und der sozusagen eine Gesetzmäßigkeit ermöglicht: dies ist die Voraussetzung für verantwortliches Komponieren.

Ich möchte Ihnen noch zum Schluß einen kleinen Text von August Halm vorlesen. Seit 1911, als er in einer heute entlegenen nichtmusikalischen Zeitschrift erschien, ist er nie mehr neu gedruckt worden; er heißt »L'art pour l'art«:

»Es ist mir nicht bekannt, ob diese Devise von einem Freund oder einem Feind der Kunst formuliert worden ist. War es ein Feind, so hat er nicht ohne Geschick ein richtiges Streben in ein Bild von ödem und unfruchtbarem Sich-im-Kreis-Bewegen verzerrt. War es ein Freund, so war er ungeschickt oder übertrieben im Ausdruck, vielleicht von der Freude an der Fehde geleitet. ›Die Kunst für niemand‹; ›die Kunst keinem Zweck verschrieben‹ – so müßte die Parole lauten, damit sie Klarheit schaffe und entweder anziehe oder abstoße. Oder noch deutlicher: die Kunst nicht Menschendienst, sondern eine Herrscherin über die Menschen, die ihr zu dienen haben. Schönheit und Wahrheit – beides sind Ziele des menschlichen Suchens und Strebens. Den geistigen und sittlichen Mächten sind wir untertan; so viel wissen wir: Ob es Wesen gibt, denen sie zu Dienst sind, wissen wir nicht; vielleicht gibt es eine Welt, in welcher sie das sind, was in unserer Welt die Natur ist. Das geht uns hier unten nicht so viel an; wir haben mit unseren klaren Pflichten genug Arbeit. Was wahr und was schön ist, kann nicht an seinem Wert für das irdische Leben, nicht an seiner Brauchbarkeit gemessen werden, wohl aber mißt sich der Wert dieses Lebens an seiner Kraft, geistige Gebote zu erfüllen, Geistiges zu gestalten und zu verkörpern. Das Kunstwerk schielt nicht nach dem irdischen Leben, sondern es sieht nach der Kunst hin, deren Existenz es vermehrt oder kräftigt. ›Das Kunstwerk für die Kunst‹, so kommt ein wirklicher Sinn in das ›Für‹ und so sind wir dem fehlerhaften Zirkel des *L'art pour l'art* entronnen« (*Die Rheinlande* 1911, S. 395).

Hans Pfitzners Eichendorff-Kantate *Von deutscher Seele*

Unter allen Kompositionen Eichendorffscher Gedichte nimmt Hans Pfitzners Werk *Von deutscher Seele* nach Anspruch und Umfang eine Sonderstellung ein. Der Komponist bezeichnet sein Werk selbst als Kantate, was nicht so selbstverständlich ist, wie es zunächst scheinen mag. Ein Oratorium, wie die große vokale und instrumentale Besetzung nahelegen könnte, ist es jedenfalls nicht. Später, seit den dreißiger Jahren, setzte sich für Werke dieser Art der (grundsätzlich auch schon früher bekannte) Begriff »Weltliches Chorwerk« durch. Dieser bezeichnet in der Tat die in der Sache selbst liegende Schwierigkeit der gattungsmäßigen Zuordnung.

»Kantate« ist ebenso wie »Lied« eine literarisch-musikalische Gattung, die jedoch im 19. Jahrhundert eine mehr und mehr periphere Rolle spielte. Im Vordergrund standen vielmehr kantatenmäßig vertonte einzelne Gedichte, insbesondere Balladen. Das klassische Werk einer romantischen kantatenmäßig komponierten Ballade ist Felix Mendelssohn Bartholdys Vertonung von Goethes »Die erste Walpurgisnacht«; formal freier sind die Kompositionen von Balladen Geibels (»Vom Pagen und der Königstochter«) durch den alternden Robert Schumann: kantatenhaft ist übrigens auch die Vertonung des Eichendorffschen Gedichts »Resignation« als »Einsiedler« durch Max Reger (1915), der durch ein Kirchenliedzitat (im Orchester) »O Welt, ich muß dich lassen« andeutet, daß eine strikte Abgrenzung zur Sphäre des Geistlichen, d.h. zur mittlerweile ins Blickfeld gerückten Kirchenkantate Bachs, nicht beabsichtigt ist. Das große Werk Pfitzners, in welchem sich an signifikanten Stellen ebenfalls Choralartiges findet, ist auch in diesem Zusammenhang zu sehen. Die kantatenhaften Kompositionen von Liedern und anderen dazu geeigneten Gedichten in der nachklassischen Zeit bilden jedenfalls eine wichtige Voraussetzung.

Eine andere ist das »Orchesterlied«, das die Entwicklung der Gattung »Lied« von der schlichten Hausmusik, wie sie noch Goethe bevorzugte und sie im 19. Jahrhundert noch manchen Verteidiger fand, zum repräsentativen Konzertstück kennzeichnet. Nicht nur instrumentierten zahlreiche Komponisten eigene, zunächst mit Klavierbegleitung komponierte Gesänge – etwa Hugo Wolf, Richard Strauss, Max Reger und Pfitzner –, das selbständige Orchesterlied blühte, insbesondere bei Gustav Mahler, dessen Zyklen *Kindertotenlieder* (nach Friedrich Rückert) und *Das Lied von der Erde* (Hans Bethge) wohl einen Höhepunkt bezeichnen. In diesen Werken

realisieren sich wenigstens zwei weitere bedeutsame Tendenzen der Lied-
geschichte, erstens die der Zyklusbildung und zweitens die der Bedeutungssteigerung des instrumentalen Anteils über die Begleitfunktion hinaus
bis hin zu symphonischer Eigenbedeutung. Die Bildung eines Liederzyklus aus inhaltlich zusammenhängenden Gedichten – wie etwa in den berühmten Zyklen Franz Schuberts oder auch in Schumanns *Frauenliebe und
-Leben* (nach Adalbert von Chamisso) – ist naheliegend, die freie Zusammenstellung von inhaltlich *nicht* zusammenhängenden Gedichten durch
den Komponisten ist demgegenüber etwas ganz anderes. Vornehmlich sind
es musikalische Gründe, die einen Tonkünstler veranlassen, eine solche
Zusammenstellung vorzunehmen. Was nämlich bis dahin Sache des geschmackvollen Sängers war, in den Programmen seiner Gesangsvorträge
die selbständigen Lieder sinnvoll zu gruppieren, das übernahm nun der
Komponist selbst, indem er den einzelnen Liedern einen bestimmten Platz
in einer Folge, der inhaltlich *nicht* zwingend ist, anwies, ganz wie den einzelnen Sätzen im Rahmen eines großen instrumentalen Werkes (etwa einer
Symphonie).

Und hiermit ist auch schon eine letzte Tendenz benannt, die für die
Entwicklung des Liedes – nicht nur des Liedes – so bedeutungsvoll werden sollte: die Annäherung an die musikalische Gattung, die seit Beethovens Tagen als oberste galt, die Symphonie. Dies war die Konsequenz der
außerordentlichen Bedeutungssteigerung des instrumentalen Anteils. Mahler nannte sein *Lied von der Erde*, einen Zyklus von sechs Gesängen,
schlicht »eine Symphonie«, und Alexander Zemlinsky gab seinem großen
solistischen Zyklus nach Gedichten von Rabindranath Tagore gleich einen
entsprechenden Namen: *Lyrische Symphonie*. Dieses neuerdings wieder
mehr beachtete Werk ist nur ein Jahr nach Pfitzners Kantate, also 1922,
entstanden.

Hans Pfitzner, eine der seltsamsten Komponistenerscheinungen unseres
Jahrhunderts, war lebenslang ein gleich leidenschaftlicher und schwärme-
rischer Verehrer sowohl der Kunst Eichendorffs als der des großen Ei-
chendorffvertoners Schumann. Wenn er als Musiker in der Öffentlichkeit
erschien, sei es als Kapellmeister oder als Klavierbegleiter, bevorzugte er
stets Werke von Schumann. Frauenchöre dieses Komponisten hat er für
das Straßburger Musikfest 1910 – in Straßburg wirkte Pfitzner in leitender
Position u.a. auch am Stadttheater – mit Orchesterbegleitung versehen, und
gern hat er, wenn er den Eichendorff-Liederkreis op. 39 von Schumann am
Klavier begleitete, zwischen den einzelnen (sehr kurzen) Liedern kleine
Zwischenspiele, bloße Übergänge, improvisiert, weil er »den Fall in die

nüchterne Wirklichkeit nach jedem letzten Klang als ganz besonders hart« empfunden hat[1]. »Läßt man aber das Tonelement« – so schreibt Pfitzner weiter – »zwischen den einzelnen Liedern nicht abbrechen, so entsteht ein Etwas, das wohl ein Ganzes zu sein vorzugeben scheint und doch offenbar nicht ist, daher als stillos gescholten werden könnte.« Tatsächlich wurde dieser Eingriff (z.B. von dem hervorragenden Musikgelehrten Alfred Einstein) sogar als »Vergewaltigung« gerügt. Pfitzner ist jedoch sogar noch weitergegangen: er ließ nicht nur einzelne Lieder abwechselnd von einer Sängerin (Maria Ivogün) und einem Sänger (Karl Erb) singen, sondern auch wenigstens ein Lied, das »Waldesgespräch«, im Wechselgesang vortragen, also, wie Einstein schrieb[2], quasi »mit verteilten Rollen singen«. Die musikalische Anlage des Schumannschen Liederkreises wurde dem musizierenden Komponisten Pfitzner, der gerade dieses Werk besonders bewunderte und liebte, in mancher Hinsicht zu eng, er wollte sie auf diese Weise ausweiten und steigern. Er war eben selbst Komponist und arbeitete auch bei der musikalischen Interpretation der am höchsten geschätzten Werke weiter (wie auf ganz andere Weise sein Zeitgenosse Mahler an Beethovens Symphonien). Diese Interpretationsexperimente sind insbesondere für das Jahr 1919 bezeugt, also für die Zeit der Vorbereitung seines großen Werkes.[3]

---

1   Hans Pfitzners Einführung, jetzt in: *Sämtliche Schriften*, Bd. 4, hg. von Bernhard Adamy, Tutzing 1987, S. 443.

2   Siehe Anm. 3.

3   Diese Experimente Pfitzners fanden nicht nur Zustimmung. Thomas Mann, damals ein Freund und enthusiastischer Verehrer Pfitzners, erlebte »einen genußreichen Abend« (vgl. *Tagebücher 1918–1923*, Frankfurt a. M. 1979, S. 310), Alfred Einstein war weniger erbaut. In der *Münchener Post* vom 5. November 1919 schrieb er: »Pfitzner hat etwas für meine Begriffe ziemlich Furchtbares gemacht: sein inniges Verhältnis zu seinem Wahlverwandten Robert Schumann scheint ihm zu erlauben, Schumann zu vergewaltigen: – denn eine Vergewaltigung ist es, den Eichendorff-Liederkreis op. 39 durch – wenn auch noch so diskrete – Zwischenspiele ›zu einem Ganzen zu verweben‹, also die von Schumann gewollten Liedanfänge und Liedschlüsse ihrer ästhetischen Wirkung zu berauben. Zudem glaube ich nicht, daß Schumann mit der Aufeinanderfolge seiner Lieder besondere Absichten verfolgt hat: man denke nur an die Folge Andenken und Lorelei! Die Verteilung der zwölf Lieder auf Sopran und Tenor ist gut und schön, und feinsinnig gedacht; und selbst das Unisono des Schlußstücks, der Frühlingsnacht, lasse ich gelten; ganz schauderhaft ist es aber, ein Stück wie besagte Lorelei mit verteilten Rollen singen zu lassen, eine

Ganz in diesem Sinne beschreibt nun Pfitzner auch das Entstehen seiner Eichendorff-Kantate:»Vom Kleinen ins Große ist es mir unter den Händen gewachsen. Irgendwann früher, in Straßburg, kamen mir ein paar Einfälle für die Eichendorffschen Sprüche und Wandersprüche; da ich *auch* weiß, was ein Skizzenbuch ist, hatte ich sie mir hinein notiert. Eines schönen Abends am Ammersee blätterte ich darin und dachte, die Kompositionen dieser meist vierzeiligen, aber nicht über zehnzeiligen Poesien nicht als einzelne Lieder zu veröffentlichen, sondern verbunden durch Zwischenspiele, aus dem thematischen Material gebildete Überleitungen, die von der Stimmung des einen Liedes unvermerkt in die des andern führen sollten. Mir schwebte also etwas vor wie ein Liederspiel, ich glaube, anfangs mit Klavierbegleitung.«[4] Den Charakter eines Liederspiels hat Pfitzners Werk denn auch nicht gänzlich abgelegt; der Komponist hat ihn auch nicht verleugnet, im Gegenteil, eher sogar hervorgehoben. Den Schlußabschnitt nannte er – das bezeichnet jedoch auch einen gewissen Gegensatz zu allem unmittelbar Vorangehenden – bedeutungsvoll »Liederteil«. Dieser selbst bildet die zweite Hälfte des zweiten Teils.

Pfitzner stand also vor der (selbstgestellten) Aufgabe, aus zahlreichen kleinen Gedichten ein umfangreiches Werk zu komponieren, zusammenzusetzen oder aus vorhandenen Keimen wachsen zu lassen. (Beide Bilder sind Pfitzner wohl vertraut und sympathisch.) Das Zusammensetzen betrifft die Anordnung der Gedichte, deren Abfolge keine ›Handlung‹ ergeben soll (und tatsächlich auch keine ergibt), aber doch eine einsichtige Folge; das Wachsen soll die Konsequenz dessen sein, was Pfitzner den »musikalischen Einfall« nennt. Und das ist eben das, was sich im Skizzen-

---

Ballade – die eben trotz alles dramatischen Lebens doch immer ein lyrisch-episches Gedicht bleibt, zu dramatisieren! Auf diese Weise werden wir bald dahin kommen, den Erlkönig von vier Stimmen singen zu lassen: Goethe, der mit der Frage beginnt und schaudernd die Erzählung beschließt; Vater, Sohn und Erlkönig. Der Eindruck des Experiments war denn auch trotz Verdunkelung des Saales (ich dachte, diese Zeiten wären vorüber) durchaus nicht tiefgehend, sondern befremdend und peinlich. Erst bei den folgenden *echten* Duetten konnte ich mich der Kunst und der Stimmen Erbs und der Ivogün (die allerdings sehr ermüdet war) sowie der unsagbar feinen Begleitung Pfitzners wieder rein erfreuen« (zit. nach Kurt Dorfmüller, *Alfred Einstein als Münchener Musikberichterstatter*, in: *Festschrift Rudolf Elvers*, Tutzing 1985, S. 117–155; das Zitat S. 134).

4 *Sämtliche Schriften*, Bd. 4, S. 443.

buch aufgezeichnet findet. Pfitzner, damals bereits ein anerkannter Meister des Liedes, komponiert die gewählten Texte – wobei jetzt über den Vorgang der Komposition nichts ausgesagt werden soll – ganz in der Art der damals gegebenen Möglichkeiten, die er teilweise selbst mitgeschaffen oder doch wenigstens weiterentwickelt hat. Das einzelne Gedicht selbst kann dabei durch Wiederholungen von Worten, Versen, Verspaaren oder gar Strophen mehr oder weniger stark verändert, d.h. erweitert werden, bis hin zur gänzlichen Umwandlung der Form, so wenn etwa ein Vers quasi als Kehrvers wiederholt wird – wie gleich der erste des Werkes: »Es geht wohl anders, als du meinst« – oder die erste Strophe nach der zweiten wiederholt (und damit die Bedeutung der zweiten erheblich herabgesetzt) wird, wie in »Herz, in deinen sonnenhellen/ Tagen halt nicht karg zurück!« Daß Wiederholungen, wie sie bei kantatenhafter – im Gegensatz zu liedmäßiger – Komposition üblich sind, den Text alterieren, vor allem einen nicht zur musikalischen Einkleidung bestimmten, ist bei einem großen, musikalisch reichen Werk dieser Art selbstverständlich und bedarf keiner weiteren Erörterung, auch nicht das Herausheben einzelner, als besonders wichtig empfundener Formulierungen, wie der einen Musiker anregende Hinweis auf den sich ergebenden »wunderbaren Klang« in dem Gedicht »Der alte Garten«, dessen einzigartige Vertonung den »Liederteil« eröffnet. In diesem Lied wird auch der Schlußvers wiederholt – »durch den Garten die ganze Nacht« –, zur Verbreiterung des Stimmungsbildes und zugleich dessen Ausklang, vielleicht besser: als Nachklang. (Dergleichen ist auch im ›Lied‹ möglich und üblich.)

In manchen Stücken wird der Text des jeweiligen Spruches unmittelbar mehrfach nacheinander wiederholt, sei es ganz oder teilweise. Der Spruch wird so zu einem umfangreichen Sprachgebilde, dessen Worte, wenn der Chor polyphon, gar kanonisch singt, auch noch vermischt erscheinen. Der jeweilige Vers wird selbst zum musikalischen Motiv, etwa in »Wenn der Hahn kräht auf dem Dache« oder in der berühmten Stelle »Wohl vor lauter Sinnen, Singen/ kommen wir nicht mehr zum Leben«. Bemerkenswert bleiben signifikante Stellen gleichzeitigen Vortrags verschiedener Verse eines Gedichts, wovon ich zwei heraushebe. Bei der Vertonung der zweiten Strophe des Spruches »Herz in deinen sonnenhellen/ Tagen...« kombiniert Pfitzner beide Hälften simultan. Die Solisten singen: »Sinkt der Stern: alleine wandern/ magst du bis ans End' der Welt«, die Männerstimmen des Chores singen dazu in langen Notenwerten, choral- resp. cantusfirmus-artig: »Bau' du nur auf keinen andern/ Als auf Gott, der Treue hält.« Die musikalische Darstellung, die Versinnlichung des Inhalts in einem musikalischen Bild, das aus Elementen der Tradition gebildet und daher für jeden Hörer spontan verständlich ist, bereichert den Inhalt. Am Schluß dieses Stückes, wo die erste Strophe, wie bereits hervorgehoben, noch einmal wiederholt wird, singen abschließend die drei Solisten Sopran, Alt und Tenor:»Allwärts fröhliche Gesellen/ trifft der Frohe und sein Glück«, wobei die Schlußwendung »und sein Glück« nur vom Tenoristen gesungen wird, während die beiden Damen gleichzeitig mit »trifft der Frohe« enden, zur selben Zeit und schließlich sogar auf demselben Ton (a', Kl.A. S. 30).

Die bemerkenswerteste Wiederholung eines Spruches ist gewiß die des zweiten der Kantate, die von »Was willst du auf dieser Station/ so breit dich niederlassen?/ Wie bald schon bläst der Postillon,/ Du mußt doch alles lassen«. Kaum, daß es, entsprechend begleitet, zum ersten Mal (vom Tenoristen) gesungen wurde, so verstärkt sich das Signal und entfaltet sich zu einem freien, sehr umfänglichen Orchestersatz, dem Pfitzner die Überschrift »Tod als Postillon« gegeben hat: es ist also eine Art »Totentanz« oder eine »Wilde Jagd«. Nach dem Vortrag dieses inhaltlich gewichtigen und bedeutenden Satzes, der kaum als Zwischenspiel oder gar als Intermezzo angemessen gedeutet werden kann, wird der Spruch neuerlich (sogar mehrfach) von den Solisten und vom Chor vorgetragen. Das Ganze ist also ein vielgestaltiger Satz, eine »Nummer« von mehr als 250 Takten: sie wird durch kantable Rezitation eröffnet, worauf eine Art symphonischer Dichtung folgt, die dann schließlich durch eine Kantate (über denselben Text) abgeschlossen wird. Der Komponist erweitert hier also die Dichtung nicht nur äußerlich, er entwickelt vielmehr – für jedermann verständlich – in Tönen den Gedanken weiter, ganz in der Art wie Johannes Brahms bei seiner Vertonung des Schicksalsliedes von Hölderlin in einem Nachspiel weiterdichtete.

Ein umfangreiches instrumentales Stück im Zentrum einer Vokalkomposition als Konsequenz angelegter Motive, das ist nicht die einzige Möglichkeit der Einbeziehung des Symphonischen in die Kantate (und damit verbunden die Rechtfertigung der ungewöhnlichen instrumentalen Mittel).

Es gibt den umgekehrten Fall, wo das Vokale instrumental vorbereitet wird, die Vorbereitung aber solches Eigengewicht hat, daß sie mehr ist als nur Einleitung. Im Eingangsstück des zweiten Teils, der »vielleicht wuchtigsten Konzeption des Ganzen« (A. Berrsche)[5], wird der Spruch »Werk-

---

5　Alexander Berrsche in einer Kritik 1928. Vgl. ders., *Trösterin Musika*, München ²1949, S. 361.

tag« bedeutungsschwer vom Chor als bloßer Einbau motettisch und choralmäßig vorgetragen, aber dieser Vortrag erscheint nur als Verdichtung im zweiten Abschnitt, als abermalige Steigerung des im übrigen sich motivisch konsequent entwickelnden instrumental geprägten Satzes, dessen Charakter durch die Unendlichkeit des (ausweglosen, d.h. das Ziel verfehlenden) schicksalhaften Wanderns zu denken ist.

Ein anderer Fall liegt vor, wenn ein vokal geprägter Charakter, etwa eine choralartige Melodie, vom Orchester antizipiert wird. Dies ist der Fall in dem Zwischenspiel vor dem zum »Liederteil« überleitenden, kirchenliedartig vom Bassisten vorgetragenen Spruch »Gleichwie auf dunklem Grunde/ der Friedensbogen blüht,/ so durch die böse Stunde/ versöhnend geht das Lied«. Hier wird die Melodie nicht nur vorbereitet, sondern selbst als cantus firmus von den Hörnern im voraus vollständig breit gespielt. Man sieht: vokale und instrumentale Mittel werden nicht nur in der üblichen Weise eingesetzt, sondern auf mannigfaltigere Weise miteinander verbunden.

Jetzt wird es Zeit, etwas über Pfitzners Vorstellung von der musikalischen Form, die beim Komponisten schon lange vor der Arbeit an der Kantate zu einer festen Überzeugung geworden war, zu sprechen. Ich zitiere und kommentiere einen kurzen, alles Wesentliche enthaltenden Ausschnitt aus einem Aufsatz, den Pfitzner bereits im Januar 1908 geschrieben hat. Es geht ihm dabei um den »elementaren Unterschied zwischen allem Dichten und allem Komponieren«. Dieser Hauptaspekt soll hier jedoch vernachlässigt werden, obgleich er auf die Formulierung des ausgewählten Abschnitts nicht ohne Einfluß geblieben ist. Pfitzner schrieb:

»Eine musikalische Komposition ist, so wenig hoch es auch klingt, weiter nichts als eine ›Zusammensetzung‹ von lauter Gegenwarten, greifbaren Einheiten, die eine an sich wesenlose Form füllen, ob eine kleine Form durch eine einzige Einheit (Melodie) ganz ausgefüllt wird (kleines Stückchen, Volkslied), oder lauter selbständige kleine Einheiten (Melodien) nebeneinander gesetzt sind (niedere Kunstformen: Tanzmusik, Potpourri), oder eine Einheit (Thema) in gewisser Ordnung immer wiederholt wird (Fuge), oder aus einer Einheit (Melodie, Thema, Motiv) andere gebildet werden bis diese gewissermaßen aufgebraucht ist, und eine neue notwendig wird (höhere Kunstformen: Doppelfuge, Sonatensatz usw.) und was an dergleichen Möglichkeiten noch mehr denkbar ist.

Immer also bleibt der unumgängliche Weg der Musik der vom Einzelnen zum Ganzen, sowie der der Dichtung vom Ganzen zum Einzelnen. *Die*

›*musikalische Idee*‹ *ist gegenwärtig, die* ›*dichterische Idee*‹ *ist allgegenwärtig.*‹[6] Der letzte Satz wird hier nur der Vollständigkeit halber zitiert. Für unseren Zusammenhang genügt als Schluß:»Immer also bleibt der unumgängliche Weg der Musik der vom Einzelnen zum Ganzen...« Die für uns wichtigste Formulierung ist die von der»an sich wesenlosen musikalischen Form«. Die musikalische Form hat demnach, so ist Pfitzner überzeugt, keinen Eigenwert, ja nicht einmal eine von dem musikalischen Inhalt unabhängige Existenz. Es gibt sie überhaupt nur entweder als Konsequenz einer musikalischen Gegenwart, d.h. des Einfalls, und dann ist ja diese Konsequenz selbst auch Einfall, oder aber als mehr oder weniger unverbindliche Folge von Einzelheiten. Es wird daraus ganz deutlich – und der einsichtsvolle Pfitzner-Apologet Alexander Berrsche hat darauf nachdrücklich verwiesen –, daß für Pfitzner die Anlehnung an eine der vorgefundenen Formen, wie sie in den Formenlehren seit Adolf Bernhard Marx vorgestellt werden, etwas ebenso Außermusikalisches ist wie ein literarischer Text, ein Bild oder eine sonstige Anregung.[7] Die musikalische Form gilt Pfitzner also nicht als etwas musikalisch Allgemeines, das sich einer legitimen Abstraktion verdankt, sondern als etwas Besonderes, Einmaliges.

Der zweite Ausschnitt ist der heute mehr berüchtigten als berühmten, auf jeden Fall kaum mehr unvoreingenommen gelesenen Schrift *Die neue Ästhetik der musikalischen Impotenz* (1919) entnommen. Diese polemische Schrift ist das Dokument einer tief gekränkten und verletzten Seele, wobei jetzt die Frage, ob ihr Verfasser überhaupt Veranlassung hatte, sich gekränkt und verletzt zu fühlen, nicht diskutiert oder gar beantwortet werden soll. Jedenfalls finden sich in diesem Pamphlet Partien, die für das Verständnis der Situation eines Komponisten der ersten nachwagnerschen Generation in der Zeit der Etablierung der Neuen Musik und dem Zusammenbruch der traditionellen Wertvorstellungen von erheblichem Interesse sind. Über das»Problem der Vokalmusik« ist, nachdem Pfitzner zugestanden hat, daß»eine Anregung der musikalischen Phantasie durch das Wort oder andere außermusikalische Faktoren, poetische Ideen, Bilder usw. natürlich stattfinden kann«, zu lesen:

---

6 Hans Pfitzner, *Zur Grundfrage der Operndichtung*, in: ders., *Gesammelte Schriften*, Bd. 2, Augsburg 1926, S. 21f.
7 Alexander Berrsche, *Hans Pfitzner und die absolute Musik* (1919), in: Hans Pfitzner, *Verzeichnis sämtlicher Werke*, 3. Aufl., Leipzig 1938, S. 9–11.

»Im ganzen wird sich das Verhältnis von Ton zu Wort in dreierlei große Gebiete abteilen lassen, die natürlich nicht immer scharf voneinander
geschieden werden können. Das erste ist das, was Schopenhauer vor Augen hatte und was er eigentlich nur kennt. Da schreibt der Komponist
Melodieen und Melodieen beinahe auf instrumentale Weise aus sich heraus und läßt den Text, der dann allerdings so albern oder so allgemein ist,
wie ihn Schopenhauer statuiert, sich mehr oder weniger danach richten.
Das war die alte italienische Oper, das war und ist viele Kirchenmusik, das
war das Gros der Vokalmusik früherer Zeit. Das Gros der Vokalmusik
später und jetziger Zeit füllt das zweite Gebiet. Da geht die Komposition
vom Wort aus. In diesem Satz liegt das Gefährliche und Unmusikalische
des Verfahrens; die frühere Methode war musikalischer. Je mehr sich der
Komponist dem Wort verschreibt, je mehr er sich infolge mangelnder
Musikalität ans Wort klammern muß, desto mehr wird die Tugend des
Liedes zur Not: Natürlichkeit wird ›gute Deklamation‹, Charakteristik
wird Wortmalerei, Stimmung wird Stimmungs*mache*; auf die Spitze ge-
trieben, wie es in dieser Zeit geschieht, wird der musikalische Organismus,
den der literarische Tonsetzer über den Silben der Dichtung vergißt, auf-
gehoben und der musikalische Rest ist Sinnlosigkeit. Das dritte Gebiet
aber umfaßt die Idee der Vokalmusik, die eine tiefe Berechtigung hat und
das Ideal derselben darstellt. Es sind die Fälle in der Kunst, wo aus zwei
verschiedenen Quellen derselbe Geist strömt und zu einem Gebilde zu-
sammenfließt, in dem Wort und Ton eines werden, die Stimmung wie in
einer reinen Konsonanz zusammenklingt. Aber aus tiefen Quellen muß es
fließen, zumal die Musik; nicht diese mühsam aus dem Geiste des Gedichts geboren werden; sie muß aus ihrem eigenen Gebiet kommen und
selbständig, auf ihre Art, dieselbe *Stimmung* hervorzaubern, die das Gedicht ausspricht; dies kann *ganz* unabhängig, *vor* Kenntnis des Gedichtes,
geschehen, oder leise von ihm berührt, wie mit der Wünschelrute. Auf diese Weise entstehen Lieder, wie ›Mondnacht‹ oder ›Frühlingsglaube‹, Kro-
nen ihrer Gattung, Funken, erzeugt durch Berührung entgegengesetzter
Pole.«[8]
   Unter dem ersten Punkt wendet sich Pfitzner gegen die ältere, bis ins
frühe 19. Jahrhundert allgemein verbindliche Praxis der Liedkomposition,
unter dem zweiten gegen die Kompositionsprinzipien von Hugo Wolf, der
– das darf man nicht vergessen – ein Generationsgenosse von ihm war,

---

8 Hans Pfitzner, *Die neue Ästhetik der musikalischen Impotenz*, in: ders., *Gesammelte Schriften*, Bd. 2, Augsburg 1926, S. 211f.

dessen Rang als Liedkomponist er übrigens keineswegs verkannte. Pfitzner wandte sich vor allem gegen die zu Beginn unseres Jahrhunderts verbreitete Vergötzung Wolfs und des von ihm wenig geschätzten Franz Liszt, vor allem jedoch gegen die Nachfolger dieser Komponisten, die aus dem Lied reine Deklamationen werden ließen. Entsprach die ältere Vorstellung dem Brauch einfachen Liedersingens, so die jüngere, die nicht nur Folge des Untalents war (wie Pfitzner unterstellt), dem Vortrag kunstreicher Lyrik, deren Form und Struktur durch die Vertonung (oder besser: die musikalische Darbietung) verdeutlicht werden sollte. Wolf nannte denn auch seine Kompositionen nicht »Lieder«, sondern beließ es bei dem Titel »Gedichte«, worin ihm übrigens Schönberg in seinen richtungweisenden Georgevertonungen op. 15 – *Fünfzehn Gedichte aus* »*Das Buch der hängenden Gärten*«, *von Stefan George* – gefolgt ist. Was Pfitzner selbst erstrebte, was er für das erstrebenswerte Ideal hielt, sagt er selbst deutlich genug. Gedicht und Musik sollen einander adäquat sein, dasselbe aussprechen. Das Gedicht kann zwar, muß aber nicht unbedingt, vor allem nicht in seiner Eigenschaft als Gedicht, die musikalische Inspiration auslösen. Im Gegenteil. Wir wissen von Liedkomponisten der Zeit, daß sie Gedichte für eine Musik suchten, die in ihrem Innern bereits konzipiert war – Max Regers flehentliche Bitten an alle Freunde, ihm komponierbare Gedichte zu schicken, gehören hierher –; wir wissen auch, daß aus bereits Geschaffenem schließlich ein Lied werden konnte: hier ist ein Bericht Gustav Mahlers über die Entstehung des relativ späten Wunderhornliedes »Der Tambourg'sell« signifikant: Mahler vermeinte, einen Symphoniesatz zu komponieren, bemerkte jedoch sogleich, daß das Komponierte hierfür wenig geeignet sei; und alsbald fand er auch das passende Gedicht in seiner Lieblingssammlung *Des Knaben Wunderhorn*. Und Schönberg berichtet in seinem bekannten Aufsatz *Über das Verhältnis zum Text*, der 1914 im *Blauen Reiter* erschienen ist, von welcher Art die ihn inspirierende Situation war: er »schrieb, berauscht vom Anfangsklang der ersten Textworte, ohne sich im geringsten um den weiteren Verlauf der poetischen Vorgänge zu kümmern, ja ohne diese im Taumel des Komponierens auch nur im geringsten zu erfassen«.[9]

Die Inspiration zur Komposition kann also, wie Pfitzner sagt (und Schönberg bestätigt), »vor Kenntnis des Gedichts«, »unabhängig« von ihm

---

9   Arnold Schönberg, *Das Verhältnis zum Text*, in: ders., *Gesammelte Schriften*, Bd. 1, hg. von Ivan Vojtěch, Frankfurt a. M. 1976, S. 5.

oder bei leiser Berührung mit ihm geschehen: jedenfalls soll die Musik nicht »mühsam aus dem Text des Gedichts geboren« werden. Die Übereinstimmung von Gedicht und Musik, die harmonische Verbindung kann also gar nicht absichtsvoll herbeigeführt werden; sie verdankt sich vielmehr der musikalischen Inspiration, Pfitzner sagt: dem musikalischen Einfall. Mahler ging hier sogar noch einen Schritt weiter: er veränderte vielfach die Texte während des Kompositionsprozesses, um sie seinen musikalischen Vorstellungen gefügig zu machen.

Wenn Pfitzner auch nicht so weit gegangen ist, das Problem war ihm nicht fremd, einen seinen musikalischen Vorstellungen angemessenen Text zu finden. Und im Falle seines Hauptwerks, der Oper *Palestrina*, ist er, wie so mancher Komponist nach Wagner (und dem heute zu Unrecht wenig mehr bekannten Peter Cornelius), sein eigener Dichter geworden. In der Eichendorff-Kantate hat er immerhin die Texte nach eigenem Belieben frei zusammengestellt; er hat einen neuen Zusammenhang »komponiert«, einen Zusammenhang, der in einem Werk dieses Anspruchs kaum zufällig sein kann. Die Bilderfolge des ersten Teils unter der Überschrift »Mensch und Natur« ist einleuchtend: Hinweis auf die Unerheblichkeit menschlichen Planens, Vergänglichkeit und Tod (mit dem symphonischen Satz *Tod als Postillon*), dann als Gegensatz dazu die Aufforderung, Frohsinn und Glück zu teilen, Kampf mit den Naturgewalten nicht zu scheuen. Dann folgen die Bilder: Abend – Nacht – Morgendämmerung, trügerisches Tagestreiben und abermals Abend und Nacht.

Das zweimalige Erscheinen der Bilderfolge Abend–Nacht in ein und demselben Teil der Kantate ist auffällig und überaus merkwürdig. Zunächst bezeugt es selbstverständlich Pfitzners Vorliebe für diese Stimmungen, aber doch wohl auch noch mehr und anderes; denn beide Male erklingt ja auch im Grunde dieselbe Musik, die auf diese Weise formal zusammenschließend wird. Die Tonartendisposition unterstützt diese Formwirkung. Die erste Folge »Abend–Nacht« beginnt in b-Moll, der ganze Teil endet (mit dem ins Monumentale gesteigerten »Nachtgruß«) in B-Dur, das Ganze, d.h. die zweite Hälfte des ersten Teils, ist also auch tonal abgerundet (was sich noch im einzelnen belegen ließe). Die Einfügung rein instrumentaler musikalischer Bilder in die Liedfolge, dazu ihr gegensätzlicher Charakter – »Abend« ist ein Naturbild, »Nacht« durch den tragenden Choral ein religiöses Stimmungsbild – ist musikalisch legitimiert: sie bilden einerseits ergänzende Gegenstücke zum symphonischen Satz zu Beginn (*Tod als Postillon*), andererseits bereiten sie den Schluß vor, musikalisch und inhaltlich: der Choral, der dann die Schlußapotheose trägt, verweist darauf, daß die »Natur«, an der auch der Mensch teil hat, nicht als das Höchste gelten darf.

Es ist also zu erkennen, daß in diesem Teil der Kantate sowohl die musikalischen Charaktere als auch die Anordnung der Teile, die musikalische Architektur, als Bedeutungsträger wirken. (Ob sie als solche bewußt eingesetzt wurden, ist demgegenüber unerheblich.) Die rein instrumentalen Partien, seien sie auch nur Antizipationen (was sie übrigens nicht durchweg sind), stellen sich gleichrangig neben die vokalen: sie dokumentieren den symphonischen Anspruch der Kantate, der auch von der vokalen Schlußapothese bestätigt wird. Dieser wird im zweiten Teil, »Leben und Singen«, womöglich noch deutlicher, in dem die Symbolik der Anordnung der Gedichte, wie Alexander Berrsche hervorhebt, »verschleierter, schwebender, aber gerade dadurch von erhöhter dichterischer Eindringlichkeit« ist. Er beschreibt dies eindringlich:

»Auf die einleitenden Schicksalsverse von der Vergeblichkeit alles irdischen Strebens folgt wie eine Bestätigung die schneidende Klage: ›Was ich wollte, liegt zerschlagen‹. Es folgen die schon in dem Brio ihres sprachlichen Rhythmus und Tempos gespenstisch wirkenden Verse von dem Traume als der wahrhaft schöneren Seite des Daseins, und daran schließt sich der Spruch von dem mit der bösen Stunde versöhnenden Liede (gewissermaßen als der verklärtesten Form des Traumes). Und nun werden uns solche versöhnenden Lieder gesungen. Die Romanze vom alten Garten hebt an, und so groß und wundersam ist die Macht dieser Töne, daß, wie zuvor das Lied als Flucht vor dem Leid der Welt ersehnt wurde, nunmehr das Leid als stärkende, lebenerhöhende Kraft gepriesen werden kann:

> Von allen guten Schwingen,
> Zu brechen durch die Zeit,
> Die mächtigste im Ringen,
> Das ist ein rechtes Leid.

Es folgt die nächtliche Ballade von der Nonne und dem Ritter, die beide durch ein rechtes Leid ihren Frieden finden sollen.«[10]

Die dem choralmäßig – genauer: kantionalsatzartig – gesungenen Spruch folgende Romanze »Die Nonne und der Ritter« wird im Wechselgesang vorgetragen – eine Verszeile sogar vom Chor intoniert – also ganz

---

10 Alexander Berrsche, *Trösterin Musika*, a.a.O., S. 359.

so, wie Pfitzner auch das Lied »Waldesgespräch« aus Schumanns Lieder-
kreis gelegentlich hat singen lassen. An diesen Gesang, aufs engste verknüpft mit der letzten Strophe, schließt sich ein strengstimmiges Nachspiel, das über einen cantus firmus gearbeitet ist, an. Der Tonsatz dieses
Nachspiels greift einerseits auf den Choral vor dem Lied vom alten Garten
zurück, andererseits leitet er zum Chor »Wohl vor lauter Sinnen, Singen«
über. Er ist inhaltlich bedeutungsvoll genug, um besonders herausgehoben
zu werden. – Die Erregung der Leidgeprüften beruhigt sich, und in das
Tonspiel mischt sich ein Instrument, das sich, obgleich leise intoniert, in
einem auf Archaismen verzichtenden kontrapunktischen Satz vom Orchester deutlich abhebt: die Orgel. Ihr »objektiver« Klang, des Espressivo
nicht mächtig, läßt die Überwindung der Leidenschaft und deren Sublimie-
rung zur Erinnerung deutlich werden. Zugleich wird auch der Ton wieder
heiterer, neuer Lebensmut wird geschöpft, Zuversicht setzt sich durch,
schließlich besinnliche Freude. – Satztechnische und instrumentatorische
Feinheiten dieser Art finden sich übrigens vielfach in der (leider nur
schwer zugänglichen) Partitur. Ich denke etwa an den Einsatz der Gitarre
im »Lied vom alten Garten« (wenn von der Laute gesprochen wird), vor
allem aber an die Instrumentation in homogenen Klanggruppen, etwa die
gedämpften Trompeten und die Oboen zur Illustration des Hahnenschreis
oder die Flöten im »Alten Garten« (um nur einige beliebig herausgegriffe-
ne Einzelheiten zu nennen).

Die Idee des Symphonischen dominiert im ersten Abschnitt des zweiten Teils, in welchem sich die traditionellen Charaktere der großen Symphonie in ganz neuer Ausprägung wiederfinden: bedeutungsvoller, mächtig sich steigernder Hauptsatz, langsamer Satz und Scherzo. Der Übergang
zum Liederteil, das Herbeirufen des Liedes, hat dieselbe Funktion wie das
Baßrezitativ in Beethovens Neunter Symphonie. Diese Symphonie wird im
allerletzten, hier nicht weiter zu besprechenden Schlußabschnitt des Lie-
derteils in mancher Einzelheit, im Wechsel zwischen Solistengruppe und
Chor, so eindeutig beschworen, daß es nur eine Frage der Terminologie ist,
ob man hier von einem Zitat sprechen mag oder von bloßer Ähnlichkeit.
Der Anspruch der Kantate als Werk symphonischen Charakters und gegenüber dem Lied gesteigerter Bedeutung wird jedenfalls nachdrücklich
und für jedermann unüberhörbar unterstrichen. Dieser symphonische Anspruch zeigt sich bis in die Details. Die einzelnen Stücke – Lieder, Chöre,
Zwischenspiele – folgen nicht aufeinander, sondern haben sowohl einen
unterschiedlichen Grund von Selbständigkeit als auch unterschiedliches
Gewicht. Manche Sprüche sind nicht nur textlich, sondern auch musika-

lisch so eng mit einem folgenden (oder vorangehenden) verbunden, daß ihre Trennung, ihre Bezeichnung (oder auch nur Auffassung) als jeweils eigene, selbständige Stücke ungerechtfertigt erscheint. An einer überaus signifikanten Stelle hat Pfitzner sogar die Worte so gesetzt, daß gar nicht mehr zu erkennen ist, wann der eine Spruch endet, wann der nächste beginnt (»Singen, Leben! Hast du doch Flügel eben«). Und die großen instrumentalen Stücke werden allemal durch Spruchkompositionen eingeleitet und vorbereitet. Auf den Spruch: »Was ich wollte, liegt zerschlagen,/ Herr ich lasse ja das Klagen/ und das Herz ist still./ Nun aber gib auch Kraft zu tragen/ was ich nicht will« folgt das instrumentale Zwischenspiel *Ergebung*, d.h. die musikalische Darstellung des Gefühls der Ergebung in das, was nicht gewollt wird.

Neben dem Symphonischen kommt, auf einer anderen Ebene, das Religiöse zu seinem Recht, nicht gerade kirchlich, aber doch so stark, daß der hohe Bedeutungsanspruch, der sich damit in aller Musik stets verbindet, unverkennbar ist. Die Kantate ist eben, trotz des betont spielerisch-heiteren Charakters, den zu betonen der Komponist nicht müde wurde, wie ein jedes der großen Werke Pfitzners Weltanschauungsmusik. Als solche kann sie musikalisch überhaupt nur durch symphonischen Ernst, d.h. weiträumige Anlage, dichte motivisch-thematische Arbeit und charakteristische Vielgestaltigkeit bei Wahrung der Geschlossenheit realisiert werden. Musikalisch heißt das genauer: dem inhaltlichen und künstlerischen Anspruch, den die Dichtungen erheben, kann als musikalischer nur der der Absoluten Musik gerecht werden, wobei Absolute Musik soviel heißt, als daß die Musik, die (um mit Hermann Lotze zu sprechen) assoziative Faktoren keineswegs zu verleugnen braucht, aus sich heraus lebt, aus ihrem eigenen Formgesetz, das nie so streng ist, daß es keine Umwege gestattete. Die musikalische Form ist der Dichtung so wenig übergestülpt wie die Dichtung das Formgesetz der Musik bestimmt (wie es nach Pfitzners Auffassung im Musikdrama Wagners der Fall ist). Musik und Dichtung vereinen sich, harmonieren, wie es der Komponist selbst gefordert hat; ja, er hat sogar auch noch einen Anteil an der Dichtung insofern, als er aus kleinen Gedichten einen großen Zusammenhang, der sich nun freilich vor allem (aber nicht ausschließlich) musikalisch bewährt, hergestellt hat. Die einzelnen Sprüche und Gedichte Eichendorffs waren also nicht nur Auslöser des musikalischen Einfalls, sie wurden auch als Stoff in die musikalische Komposition einbezogen.

Die Eichendorff-Kantate ist das erste große symphonische Werk Pfitzners, eines Komponisten, dessen vielgestaltiges Schaffen drei Schwerpunkte hat, das Musikdrama (die Oper), das Lied und die Kammermusik. Durch das Herauslösen der *Drei Palestrina-Vorspiele* und deren (erfolgreiche) Verselbständigung als Orchesterwerk für den Konzertgebrauch fand er den Weg vom Musikdrama zur Symphonie, zur Opernsymphonie, wie sie später noch von Alban Berg, Paul Hindemith und zahlreichen anderen Komponisten gepflegt wurde. Mit der Konzeption der Kantate beschritt er einen anderen Weg zum gleichen Ziel, den von der musikalischen Lyrik, vom Lied, zur umfassenden symphonischen Gestaltung. Und später ging er auch noch einen dritten Weg, den von der Kammermusik. Diesen hat er, im Gegensatz zu den anderen, sehr auffällig beschritten durch die Umarbeitung seines großen Streichquartetts cis-Moll op. 36 (1925) zur Symphonie op. 36a (1933). Überall drängte es Pfitzner zur Symphonie als der (nach traditionellen Vorstellungen) höchsten musikalischen Gattung Absoluter Musik; aber die Gattung erschien jedem von Wagner geprägten Musiker erledigt, und in unserem Jahrhundert, nach Brahms, Bruckner und Mahler, die Pfitzner alle wenig (oder nichts) bedeuteten, gänzlich ausgelebt, jedenfalls ohne Fundierung in anderen Bereichen. So hat er den letzten Schritt, den zur Komposition einer selbständigen Symphonie größten Anspruchs nicht mehr getan. (Die beiden kleiner dimensionierten Werke der Spätphase, die Sinfonien op. 44 und op. 46, gehören in einen anderen Zusammenhang.)

Ganz ähnlich wie Pfitzner verhielt sich auch Schönberg. Auch er kam über die Gattungen Lied und Kammermusik zur symphonischen Gestaltung, und auch er konnte sich zum letzten Schritt nicht entschließen. Doch das ist hier jetzt nicht weiter zu verfolgen.

Die Kantate *Von deutscher Seele* nach Gedichten und Sprüchen von Eichendorff markiert also an einem entscheidenden Punkt nicht nur die Geschichte der Vertonung romantischer Lyrik (und Epigrammatik), sondern auch der Musik als selbständiger, unabhängiger, freier Kunst. Pfitzner hat später noch weitere, freilich weniger umfangreiche kantatenartige Werke komponiert. Und mit Vertonungen von Gedichten Eichendorffs hat er sogar seine von ihm als entscheidend angesehene Schaffensphase – zunächst meinte er sogar, sein Schaffen überhaupt – abgeschlossen.

Max Regers Kunst im 20. Jahrhundert

Über ihre Herkunft und Wirkung

I.

Die Musik des ausgehenden 19. und beginnenden 20. Jahrhunderts steht im Zeichen Richard Wagners, die Musikanschauung ist von einer Musikästhetik, deren zentrale Kategorie »Ausdruck« (und nicht mehr »Schönheit«) ist, geprägt. Die Werke, die das öffentliche Interesse auf sich ziehen, gehören zu bestimmten musikalischen Gattungen, vor allem dem »Musikdrama«, der Sinfonischen Dichtung und dem Lied. So stellt sich die musikalische Moderne dieser Zeit als Opernmusik oder als Programmusik, eine Musikart, die nichts anderes ist als in den Konzertsaal verpflanzte Opernmusik, dar. Die Anhänger der traditionellen Tonkunst, deren Ideal die sogenannte »Absolute Musik« ist – vor allem die Verehrer der hohen Kunst von Johannes Brahms –, und auch die älteren Lisztanhänger (wie etwa Felix Draeseke) vermochten nur Veräußerlichung, Betriebsamkeit, Propaganda, Geschäftsgebaren zu erkennen. Alles Edle und Idealische, das Geistige sahen sie von Kommerziellem und Materialistischem bedroht oder bereits verdrängt. Sie wollten an ihren Idealen festhalten, sie nicht verraten, sondern ihnen die Treue halten.

Als Gegenbewegung entwickelte sich, abseits vom offiziellen Getriebe der modernen Großstädte, in den Kreisen, die die gelehrte Welt bildeten, sowie in den traditionell orientierten Musikerkreisen, die nach wie vor sich nach »Schönheit« sehnten, eine Art von Historismus, der den Bedarf an Neuem, der gleichwohl stets vorhanden ist, mit neu erschlossenem Alten, dessen hoher Kunstwert nur langsam ins allgemeine Bewußtsein drang, deckte. Insbesondere war es das Werk des Thomaskantors Johann Sebastian Bach, das mehr und mehr bekannt wurde und sich als Altklassik neben die Klassik (d.h. neben das Werk Beethovens) stellte, zugleich aber als Neues in Konkurrenz zu den neuesten Strömungen, zur Musik der Moderne der Jahrhundertwende, trat.

Es war sicher naheliegend, daß die Kritiker der modischen Moderne ihren Zeitgenossen die durch die Bewegungen des musikalischen Historismus mittlerweile zu neuem Ansehen gekommene alte Musik als Jungbrunnen empfahlen. Schließlich waren es nicht nur die Musikkritiker, sondern auch die Kulturkritiker, die ihre Argumente den Schriften Nietzsches entnahmen; es war auch der greise Meister Verdi, der, ein später Verehrer des *Wohltemperierten Klaviers*, den berühmten, die musikalischen Strebungen der Zeit charakterisierenden Ausspruch getan hat, daß eine Rückkehr zu den alten Meistern einen Fortschritt bedeuten würde[1].

Dem deutschen Musiktheoretiker und Musikgelehrten Hugo Riemann erschien – wie auch vielen anderen – die Musikentwicklung, also das, was sich damals als musikalischer Fortschritt verstand, als »Degeneration«. Dieser Degeneration sollte eine Regeneration an der alten Musik, für die er ein Vorbild in Johannes Brahms' Werken sah, entgegenwirken. Zwischen dem trotz seines heute kaum mehr verständlichen Dogmatismus bedeutenden Riemann und seinem ehemaligen Schüler Max Reger kam es gerade über diese Frage, ausgelöst durch einen mehr beiläufigen Kalenderartikel Riemanns, im Jahre 1907 zu einer Kontroverse, deren ungewöhnliche Heftigkeit noch heute erkennen läßt, welche Bedeutung dieser Frage zuerkannt wurde, ja, daß es sich um eine Frage handelte, die, um mit Arnold Schönberg zu sprechen, den vollen Einsatz der Persönlichkeit erzwang[2]. Der programmatische Rückgriff, der Rückgriff als Regeneration wurde von Reger strikt abgelehnt. Vor allem protestierte er dagegen, »Brahms [...] als das Komplement der historisierenden Bestrebungen der in den letzten Dezennien aufgeblühten Musikwissenschaft« erklärt zu wissen. »Was Brahms die Unsterblichkeit sichert«, so schrieb Reger, »ist *nie und nimmer* die ›Anlehnung‹ an alte Meister, sondern *nur* die Tatsache, daß er neue ungeahnte *seelische* Stimmungen auszulösen wußte auf Grund seiner eigenen seelischen Persönlichkeit!«[3] Diese Polemik, die zwei der bedeu-

---

1   Bereits am 4.1.1871 schrieb Verdi in einem Brief an Francesco Florimo die berühmt gewordenen Worte »Torniamo all'antico, e sarà un progresso«, was Paul Stefan so übersetzte:»Kehren wir zu den Alten zurück: das gibt einen Fortschritt« (vgl. G. Verdi, *Briefe*, hg. von Fr. Werfel, Wien 1926, S. 241); in der neueren Übersetzung von E. Wiszniewsky lautet der Satz:»Kehren wir zum Alten zurück, es wird ein Fortschritt sein« (vgl. G. Verdi, *Briefe*, hg. von W. Otto, Berlin 1983, S. 216).

2   Dieser Gedanke herrscht in Schönbergs Schriften um 1910, insbesondere in den Aufsätzen über G. Mahler, Fr. Liszt und über Musikkritik (vgl. Arnold Schönberg, *Gesammelte Schriften*, Bd. 1, hg. von I. Vojtěch, Frankfurt a.M. 1976) sowie in der Einleitung und dem Schlußkapitel der *Harmonielehre* (Wien 1911 u.ö.).

3   M. Reger, *Degeneration und Regeneration in der Musik*, in: *Neue Musik-Zeitung* 29, Nr. 3, S. 49ff.; zitiert nach K. Hasse, *Max Reger*, Leipzig o.J. (1921), S. 210f.

tendsten Figuren des deutschen Musiklebens einander endgültig entfrem-
dete, enthält, liest man sie nur richtig, Regers kompositorisches Programm:
Anlehnung an (oder Anregung durch) die alte Musik kann (resp. soll) sein,
aber die Elemente der alten Musik sollten eben nicht diese selbst wieder
(oder etwas Ähnliches) herstellen, sondern Momente des Fortschritts, also
dessen, was Riemann als Degeneration erschien, sein.

Wie alle Komponisten der Zeit um die Jahrhundertwende, so hat auch
Reger nicht direkt an das Werk eines großen Meisters angeknüpft – um
überhaupt an derartige Werke anknüpfen zu können, muß sowohl deren
Erkenntnis geleistet als auch ein bedeutender technischer Standard bereits
erreicht sein –, sondern an die gängige Musik der Zeit. Brahms war allerdings das Vorbild, nicht aber der Anknüpfungspunkt. In den Frühwerken
strebte Reger ähnlichen Zielen wie Brahms zu, und die Person Brahms'
war Gegenstand der Verehrung. Es ist aber für Reger insgesamt charakteristisch, daß er in den verschiedenen musikalischen Gattungen, die er
pflegte, verschiedene Vorbilder hatte. Reger dachte – sehr im Gegensatz
etwa zu seinem Zeitgenossen und Freund Busoni, der im Gattungswesen
nur das Begrenzende, die Freiheit Einschränkende sah – überhaupt sehr in
Gattungen, und der Gedanke, hier Grenzen zu verwischen, wie dies in der
neudeutschen Schule geschah, lag ihm ganz fern. Immerhin zeigen die
Werke des jungen Reger bereits eine ganz außergewöhnliche Beherrschung des musikalischen Handwerks.

»Ich studiere«, so schreibt der Zwanzigjährige, »sehr fleißig alte Kir-
chentonarten und bringe in meine Kompositionen so manche Wendung
hinein, die auf unserem tonalen Erfindungsfeld nicht wächst. Letzthin hat
ein persönlicher Freund von Brahms das Thema des Finale meiner zweiten
[Violin-]Sonate [op. 3] für ein Thema der letzten Werke von Brahms gehalten. Selbst Riemann sagte mir, daß ich den Brahms ganz famos kenne.
Nämlich, Brahms ist der einzige, von dem man in unserer Zeit – ich meine
der einzige unter den lebenden Komponisten – etwas lernen kann; und ich
kann behaupten, ohne im geringsten arrogant zu werden, daß ich Brahms
sehr gut verstehe. Brahms ist vor allem ein riesiger Gefühlsmensch; ein
Mann voll energischem, festem künstlerischen Bewußtsein.«[4]

In der Bewunderung von Brahms fanden sich der gelehrte Lehrer Dr.
Riemann und der Schüler Reger. Aber Reger war schon als ganz junger

---

4 Brief an Adalbert Lindner vom 21.4.1893, zitiert nach: E. von Hase-Koehler,
   Max Reger. Briefe eines deutschen Meisters. Ein Lebensbild, Leipzig 1928, S.
   33.

Musiker nicht geneigt, die Einseitigkeit Riemanns zu akzeptieren. Jede Parteilichkeit in musikalischen Angelegenheiten war ihm zuwider[5]. Nach Abschluß der Lehrzeit bei Riemann versucht er darum auch, seinen Kurs zu ändern:

»In den letzten zwei Jahren«, so schreibt er 1895, »habe ich hauptsächlich studiert, und zwar alles, sogar Liszt, dem ja Dr. Riemann jede schöpferische Begabung abspricht, welchen Glauben und welche Ansicht ich nie geteilt habe und auch nie teilen werde. Jetzt werde ich mich noch mehr in größere Formen einarbeiten. Daß der Horizont der Phantasie, besonders wenn man wie ich im Brahmsschen Geleise fährt, im Anfange also ein ziemlich eingeengter ist, habe ich schon länger auch empfunden. Ich glaube durch mein wirklich eifriges Studium in den letzten Jahren jetzt die Einflüsse von Brahms schon mehr zurückgedrängt zu haben.«[6]

Aber zunächst war es, neben Brahms, weniger Liszt, der Reger anregte, als einer der alten Meister, Johann Sebastian Bach, dessen Manen er sein zweites Orgelwerk, die Suite op. 16, widmete, und, seltsam genug, Franz Schubert, dessen Manen er gleich sein allererstes Liederheft, die *Fünf Lieder* op. 12, weihte.

Bach, von welchem er schon während der Lehrzeit bei Riemann Orgelwerke für Klavier übertragen hat, blieb, wie auch Brahms, einer der für Reger wichtigsten, seine ganze Laufbahn bestimmenden Anreger. Die frühesten Orgelwerke ahmen allerdings eher das Äußerliche von Bachs Tonsprache, den Tonfall nach, als daß sie der unendlich reichen Bachschen Satztechnik verpflichtet wären; die späteren, in Weiden entstandenen Orgelwerke sind dann ohne Bachs Choralvorspiele, die Reger einmal als »Symphonische Dichtungen en miniature«[7] charakterisierte, undenkbar, und zwei der größten Werke, die *Fantasie und Fuge über B–A–C–H für Orgel* op. 46 und die *Variationen und Fuge über ein Thema von Bach für Klavier* op. 81, huldigen Bachs Namen und Kunst, und eines der letzten Liedwerke Regers, die *Geistlichen Lieder* op. 137, sind ohne Bachs generalbaßbegleitete Lieder nicht vorstellbar.

Im Zeichen Bachs begann Regers produktive Tätigkeit, durch Bach fand sie ihre Erfüllung, im Zeichen Bachs endete sie. Das letzte, was er vor

---

5   Vgl. z.B. Brief an Ferruccio Busoni vom 11.5.1895, ebenda, S. 45.
6   Brief an denselben vom 6.9.1895, ebenda, S. 48.
7   In seiner Vorrede zu den *Ausgewählten Choralvorspielen von Joh. Seb. Bach. Für Klavier übertragen von Max Reger*, Jos. Aibl Verlag 1900, Universal Edition 1904.

seinem Tod überhaupt unternommen hat, war die Bezeichnung einiger Präludien und Fugen aus dem *Wohltemperierten Klavier* für eine geplante neue Ausgabe sämtlicher Bachscher Klavierwerke. Im Laufe seines Lebens hat Reger sehr viele Werke Bachs bearbeitet. Er hat Generalbässe ausgesetzt (z.b. zur Kantate *Wer nur den lieben Gott läßt walten*), Begleitungen ausgearbeitet (zu zwei Violinsonaten), Orchesterwerke phrasiert und neu bezeichnet, aus Sätzen von Klaviersuiten eine neue Orchestersuite (in g-Moll) zusammengestellt – wie übrigens auch Regers Antipode Gustav Mahler –, unzählige Klavierwerke für Orgel und Orgelwerke für Klavier gesetzt usf., er hat sogar zu den *Zweistimmigen Inventionen* eine dritte Stimme hinzugefügt und dieses Werk gemeinsam mit seinem Freund Karl Straube als *Schule des Triospiels* für Orgel publiziert. Keinem anderen Autor hat Reger auf diese Weise gedient, und er hat ganz gewiß einen bedeutenden Platz in der Reihe der Künstler, die mitgeholfen haben, Bach dem zeitgenössischen Musizieren voll zu erschließen[8].

Reger, der von der Kunstform der Sinfonischen Dichtung, ja insgesamt von Programmusik nicht eben viel hielt – obgleich er sich während seiner Meininger Zeit dieser Sphäre etwas genähert hat –, war stets ein Verteidiger der, wie er sagte, »reichsten und lebensvollsten Kunstformen, wie zum Beispiel der Fuge, [und der] Passacaglia«[9]. Dennoch hat ihn die Musik Liszts zeitweilig gefesselt und auch auf ihn gewirkt. So wollte er etwa im Jahre 1902 Klavierwerke Liszts für Orgel übertragen, aber dieser Plan konnte aus urheberrechtlichen Gründen nicht realisiert werden[10]. Von Brahms hat Reger, sieht man einmal von dem vollgriffigen Klaviersatz, der beide Meister stets verband, ab, auch Satzideen übernommen. Brahms' *Händel-Variationen* für Klavier, seine *Haydn-Variationen* für Orchester dienten, bei aller Verschiedenheit im einzelnen, den berühmten Variationswerken Regers als Vorbild. Gleichwohl stellen die Fantasievariationen des Regerschen op. 81 über ein Bachsches Arienritornell etwas ganz Neues und Neuartiges dar. Allein die Wahl eines Ritornells, eines musikalischen Gedankens also, der nicht der Liedform verpflichtet ist, mithin gar nicht im traditionellen Sinne variiert werden kann, ist höchst originell; die Art der Veränderung, die den Umriß des Themas auflöst, es selbst verschwinden macht, indem es vielfach nur einzelne Wendungen im Ton- und

---

8 Vgl. hierzu J. Lorenzen, *Max Reger als Bearbeiter Bachs*, Wiesbaden 1982.
9 Brief an Georg Stern vom 12.1.1910, zitiert nach: E. von Hase-Koehler, *Max Reger*, a.a.O., S. 221.
10 Vgl. Brief an Martin Krause vom 8.5.1902, ebenda, S. 95.

Akkordstrom aufscheinen läßt, ist ohne Vorbild, von der Schlußfuge ganz zu schweigen. Der Bachsche Tonsatz, der als Ausgangspunkt dient, wird eben nicht als traditionelles Thema variiert, er liefert vielmehr einen be-,stimmten Vorrat an Motiven, die im Tongewoge an charakteristischen Stellen erscheinen, d.h. auftauchen und verschwinden. Heinrich Schenker, dem alle Musik nach Brahms, vor allem die moderne, ein Greuel war, hat an diesem Werk, das er in Wien gehört hat und das seinen Komponisten sehr erfolgreich in der alten Kaiserstadt und Brahms-Hochburg einführte, vornehmlich getadelt, daß es keine traditionellen Variationen waren. Die verfestigte Vorstellung »Variationen über ein Thema« hatte für ihn normative Bedeutung, galt ihm als verbindliche Idee – als solche Ideen galten August Halm die »Fuge« und die »Sonate«[11] –, und jede grundsätzliche Neuerung wurde von ihm, Schenker, der ein rigoroser Traditionshüter war, als Willkürakt oder als Ausdruck der Unfähigkeit verdammt[12]. Uns liefert heute gerade die Kritik Schenkers indirekt den Beweis der Modernität Regers, indem sie den Grad der Innovation unschwer erkennen läßt.

Es ist erwiesen, daß Reger vielfach primär von Brahms ausgegangen ist, bisweilen auch, wenn auch auf verschiedene Weise, ähnliche Ziele angestrebt hat. Nachdem Reger im Jahre 1900 die beiden damals noch recht neuen Klarinettensonaten von Brahms kennengelernt hat, begann er sogleich mit der Komposition seiner beiden Sonaten für die gleiche Besetzung (op. 49). Sogar einige seiner letzten Werke, die beiden Chorgesänge op. 144, »Der Einsiedler« auf das berühmte Gedicht Eichendorffs und »Requiem« nach Friedrich Hebbels Gedicht, auch das Klarinettenquintett op. 146 und viele der Klavierstücke *Träume am Kamin* op. 143 sind ohne Brahms unvorstellbar. Gerade die beiden Chorgesänge sind für Regers Traditionsverständnis, seine Verbindung von Altem und Neuem aufschlußreich. In ihnen verbinden sich Momente der Choralfantasie mit solchen des Liedes und der Chorode. Das unmittelbare Vorbild dürfte (neben der eigenen *Weihe der Nacht* op. 119 von 1911) wohl Brahms' *Alt-Rhapsodie* gewesen sein. Bei Brahms erscheint ebenfalls ein (allerdings frei komponierter) choralartiger Chor, Reger dagegen zitiert allbekannte Kirchenlieder. Wie in den großen Orgelwerken der Weidener Zeit, aber auch in zahlreichen anderen Werken, vor allem dem langsamen Satz des einen Abschluß markierenden Klavierkonzerts, wird die durch den Text ausgelöste Assoziation für das Werk wesentlich. Im »Einsiedler« beginnt der Chor:

---

11 Vgl. A. Halm, *Von zwei Kulturen der Musik*, München 1913.
12 H. Schenker, *Das Meisterwerk in der Musik*, Bd. 2, München 1926, S. 171ff.

»Komm, Trost der Welt, du stille Nacht/ Wie steigst du von den Bergen
sacht,/ Die Lüfte alle schlafen«, und da intoniert das Orchester das Lied
»Nun ruhen alle Wälder,/ Vieh, Menschen, Städt' und Felder«. Die Kir-
chenliedweise steht indes nicht fremdartig als bloßes Zitat in der Vertonung des Eichendorffschen geistlichen Gedichts, sie ist vielmehr durch
Motivverwandtschaft mit den frei erfundenen musikalischen Gedanken
verwandt. Eine weitere Bereicherung des Werkes, eine Intensivierung seiner Wirkung tritt noch dadurch ein, daß, wie bereits der erste Kommentator dieses Werkes, der Reger-Schüler Karl Salomon, 1916 festgestellt hat,
auch der andere assoziierbare Text »O Welt, ich muß dich lassen«, Regers
Lieblingschoral, sich so außerordentlich gut zur letzten Strophe des Eichendorffschen Gedichtes fügt[13]. Außermusikalisches wird so zu musikali-
schem Inhalt, wie es weit über die Möglichkeiten der normalen Programm-
musik hinausgeht, freilich beim Hörer die Kenntnis des Textes voraussetzt.

Im zweiten Werk des op. 144, der Vertonung des Hebbelschen Gedichts »Requiem«, wird eine Choralweise sogar vom Chor intoniert. Es ist
für Regers Kompositionsweise überaus charakteristisch (und entsprechend
häufig gewürdigt worden), daß bereits bekannte musikalische Gedanken
einbezogen werden. Dabei handelt es sich nicht, wie etwa bei Mahler, der
ja auch gern Bekanntes beizieht, um bloße Einfügungen oder um eine
Nachkomposition (die bei Reger auch vorkommt), sondern um Bezugs-
punkte. An der vorhandenen Melodie, die nicht stets oder nicht ausschließlich aus musikalischen Erwägungen ausgewählt wurde, findet Reger den Bezugspunkt, der in unveränderter Gestalt während aller Veränderungen stets mitzudenken ist. An ihn knüpfen sich, wie es der vornehmlich
assoziativen Kompositionsweise entspricht, Erinnerungen von wechseln-
dem Präsenzgrad. Sie erscheinen im Tonsatz als Veränderung und Auflösung, Zitat, Verarbeitung und Verfestigung. Schon beim jungen Reger findet sich wenigstens andeutungsweise dergleichen. Eines der Klavierwerke
des Zweiundzwanzigjährigen heißt bereits *Aus der Jugendzeit* (op. 17),
und es enthält unter anderm ein Stück, in welchem das Weihnachtslied
»Stille Nacht, heilige Nacht« mit Figuration (wie mit silberglänzendem
Lametta) umgeben wird. Die Liedmelodie wird dabei einmal vollständig
vorgetragen, dann zerfällt sie in einzelne Bestandteile, von welchen einige

---

13 Vgl. K. Salomon, *Analyse der Chöre op. 144 von Max Reger*, Sonderabdruck
aus der *Neuen Musik-Zeitung*, Stuttgart, anläßlich der Uraufführung in Heidelberg am 16.7.1916 sowie ders., *Max Reger, op. 144. Zwei Gesänge für gemischten Chor und Orchester*, Berlin u. Leipzig o.J.

verändert, andere unverändert erscheinen. Die Einzelteile werden aber nicht so zusammen montiert, wie es der Melodie entspricht, sie erscheinen vielmehr verwirrt, wie durch einen Erinnerungsschleier verborgen.

Das Stückchen, das übrigens kaum Anspruch auf Bedeutung erhebt, zeigt aber doch schon einen für Regers Komponieren charakteristischen Vorgang: Gedanken werden nicht durchgeführt, sondern verwischt, verunklart. Die noch frühere Orgelfantasie über das »Te Deum laudamus« (op. 7, Nr. 2), ein Werk des Neunzehnjährigen, zeigt, bei grundsätzlich kontrapunktischer Faktur, das gleiche Verfahren. Und in den ganz späten Orgelstücken op. 145, die Reger etwa ein halbes Jahr vor seinem Tod niedergeschrieben hat, finden sich die verschiedensten Verfahren der Präsentation von Kirchenliedern. Manche Melodien werden richtig verarbeitet, manche bilden, wie auch sonst die fremden Themen in den großen Orchesterwerken, das Ziel der Entwicklung, bisweilen werden sogar, wie im Weihnachtsstück (Nr. 3), mehrere Lieder miteinander kombiniert. Die Folge der Lieder ergibt sogar, bedenkt man die jeweiligen Texte genau, eine Art von Handlung. »Es kommt ein Schiff geladen« ist das Adventslied, dann folgt das Zagen des Sünders »Ach was soll ich Sünder machen«, schließlich die Verkündung »Vom Himmel hoch, da komm ich her« und zum Beschluß »Stille Nacht, heilige Nacht«. Es ist dies wohl sicher ebenfalls eine Erinnerung »Aus der Jugendzeit«. Die improvisatorische Fügung des Ganzen erscheint der Sache durchaus angemessen, jedenfalls angemessener als eine erkennbare Konstruktion. Die frühen Stücke und die späten Improvisationen sind jedoch nur die Nebenwerke. Das wichtige in diesem Bereich sind die großen Orgelfantasien der Weidener Zeit. Die Choralfantasien für Orgel, die Regers Komponistenruhm begründeten, sind keineswegs nur einem einzigen Typus verpflichtet. Sieht man einmal von der ersten, der über das Lutherlied »Ein' feste Burg ist unser Gott« op. 27 ab, so kann man dennoch immerhin sagen, daß die Choralweise jeweils nicht gleich zu Beginn des Werkes erscheint, sondern erst nach einer mehr oder weniger langen, meist fantastischen Einleitung. Man kann diese Einleitung sicher entwicklungsgeschichtlich aus dem Präludieren beim Gottesdienst ableiten, aber die kühnen Ton- und Akkordverbindungen sind keineswegs mehr als Präludieren auffaßbar – dazu haben sie viel zu viel Eigengewicht –, sie sind vielmehr als ein selbständiger musikalischer Prozeß zu denken, der allerdings auf das Erscheinen der Liedweise hin ausgerichtet ist (ohne deshalb etwa zielstrebig zu sein). Die Fantasien selbst sind freilich vor dem Erscheinen des Chorals ohne den festen Halt, den dieser dann beim Eintritt sofort gewährt. Der Einsatz des Chorals verändert den Tonsatz.

Das kompositorische Verfahren, den die Konstruktion tragenden musikalischen Gedanken, die jeweilige Choralweise, nicht am Anfang, sondern erst als Ziel einer bestimmten musikalischen Entwicklung erscheinen zu lassen, zeigt im Grundsätzlichen eine unverkennbare Ähnlichkeit zum Verfahren der Themenmetamorphose Liszts. Eines der wesentlichsten Merkmale dieser Lisztschen Verfahrensweise ist es, die Komposition nicht mit dem Hauptgedanken zu eröffnen, sondern diesen erst mehr oder weniger langsam zu entwickeln. Ein bedeutsamer Unterschied zwischen Liszt und Reger besteht nun freilich darin, daß die Grundlage des Regerschen Tonsatzes (in den Choralfantasien), trotz des harmonischen Reichtums nach dem Vorbild der Alten Meister, eine kontrapunktische ist. Vor allem die Kontrastierung der Gegenstimmen (oder des Gegenstimmenkomplexes) zur Choralmelodie ist niemals lediglich harmonisch determiniert, sondern stets (auch) kontrapunktisch. Viele sogenannte harmonische Kühnheiten, die die Zeitgenossen schreckten und die heute kaum mehr als solche erkannt werden, wären sinnlose Komplikationen, wenn nicht die Idee der simultanen Verknüpfung verschiedener musikalischer Abläufe, eine Grundvoraussetzung aller neuzeitlichen Polyphonie, sichtbar und hörbar würde. Reger, der durch das Mittel der kontrastierenden simultanen Verbindung unveränderlicher Choralweisen mit interpretierenden Kontrapunkten oder kontrapunktisch hinzugefügten, harmonisch determinierten Komplexen Meditationen und Seelendramen musikalisch darstellt, möchte zeigen, wie sich nach seiner Vorstellung die Welt des Absoluten zur Not der sich abmühenden Kreatur verhält. Er zeigt den Weg der Schwachen in einer glaubenslosen Zeit und wie sie sich abmühen, Glaubensgewißheit zu erlangen. Der Wunsch, glauben zu können, und der Wille zu glauben sind übermächtig. Kein anderer Weg scheint sichtbar, um dem Versinken im Bodenlosen zu entgehen. Darum sind die Apotheosen auch so gewaltig. Sie sind das Ziel, das auf langen, steilen Wegen erreicht wird. Und daß die Choräle in den Orgelfantasien den festen Halt auf diesem Weg geben, in anderen Werken ihnen die Funktion der Lösung von Konflikten und diejenige sehnsüchtigen Strebens zufällt, daß sie die Gewißheit sowohl darstellen als auch geben, das gibt ihnen neben der außerordentlichen musikalischen auch die nicht minder erhebliche außermusikalische Bedeutung. Darum mündet auch ein Monumentalwerk wie der *100. Psalm*, das Werk, in welchem sich seine Sehnsucht nach dem großen allumfassenden Hauptwerk ein einziges Mal realisiert hat – Symphonie und großes Chorwerk in einem –, in den Lutherchoral »Ein' feste Burg ist unser Gott«. Dieses Lied war in diesem Augenblick für Reger nicht das Trutzlied der Protestanten, es

möchte vielmehr der musikalische Ausdruck der Gewißheit sein, daß der
Herr, dem die Musik jauchzt, unerschüttert und unerschütterbar feststeht.
So münden auch alle Motetten Regers gewiß nicht zufällig in dergleichen
Choräle ein. Von dem 1905/06 geplanten großen Chorwerk *Vom Tode zum
ewigen Leben* kennen wir kaum mehr als die briefliche Mitteilung:»Vielleicht ist's gut, in der Quadernschlußfuge, wo alles außer Rand und Band
ist, den Choral: ›Jesus meine Zuversicht‹ vom Knabenchor singen zu lassen (in der Höhe aufgestellt)«[14]. Damit wird ganz deutlich, was Reger will;
er will das Chaos und die Ordnung zugleich darstellen, den verwirrten
Unglauben und die mühsam genug behauptete Glaubensfestigkeit. Er will
sagen, daß nichts gilt außer dieser Zuversicht.
      Reger galt zu seinen Lebzeiten als Außenseiter. Er selbst fühlte sich als
Mann des musikalischen Fortschritts, aber er sah diesen Fortschritt nicht in
der Verfolgung der Ziele der damaligen offiziellen und das Musikleben
beherrschenden Moderne, der Nachfolge von Liszt und Strauss. Seine Liebe zur Musik Bachs, sein unmittelbares Anknüpfen an Bachsche Verfah-
rensweisen – auch Werke, die von Kritikern als Bachimitationen angesprochen werden konnten, sind in seinem Œuvre zu finden – machte es
ihm unmöglich, der damals zeitgemäßen Musik zu folgen. Er selbst hielt
sich gleichwohl – und dies angesichts seiner Kompositionstechnik fraglos
mit Recht – für den wahren Vertreter des Fortschritts.»Wir reiten unent-
wegt nach links«[15], hat er einmal geschrieben, aber später wandte er sich
gegen»Verstiegenheiten« und erstrebte insbesondere»formale Klarheit«.
Den Fortschritt sah Reger, wie Busoni, in der Verbindung von allem bis
dahin geschaffenen Vollkommenen. Bach sollte mit der Moderne versöhnt
werden, thematische Arbeit und Kontrapunkt, Fuge und Sonate, Rhapsodie
und Cantus firmus, Konzert- und Kirchenmusik. Ein Werk wie etwa die
B-A-C-H-Fantasie op. 46 huldigt Bach mit Chromatik, Enharmonik und
einer Fuge, die überhaupt kein fixiertes Tempo hat, sondern aus einem
einzigen, gewaltigen Accelerando besteht. Aber auch in dieser Hinsicht ist
der *100. Psalm* Regers monumentales Hauptwerk. Symphonie- und Kirchenmusik sind vereinigt, dazu beide Konfessionen, die alte durch den
Psalmtext, die neue durch das Lutherlied. Der symphonische Satz endet

---

14 Karte an Karl Straube vom September 1905, zitiert nach: *Max Reger. Briefe an
      Karl Straube*, hg. von S. Popp, Bonn 1986, S. 99; vgl. auch S. Popp, *Die unge-
      schriebenen Oratorien Max Regers*, in: *Festschrift Günther Massenkeil*, Bonn
      1986, S. 379ff.
15 Vgl. hierzu M. Reger, *Degeneration und Regeneration in der Musik*, a.a.O.

mit einer Doppelfuge, deren Themenumriß Bachschen Duktus beschwört, und im Seitensatz,»Dienet dem Herrn mit Freuden«, wer erinnerte sich da nicht an Brahms? Weiterhin verbindet der Psalm auch noch anderes: ausschweifende Polyphonie und motivische Arbeit mit formaler Prägnanz. Als Werk freilich, als einmalig realisierte Konzeption fällt er etwas aus dem Rahmen. Denn die Musik Regers vollendet sich nicht eigentlich in einzelnen Werken, sondern in mehrfach abgewandelten Konzeptionen.

II.

Max Regers rascher Aufstieg als Komponist hatte eine ganz bestimmte Voraussetzung: er füllte eine fühlbare Lücke. Alle die Musiker und Musikfreunde, die der literarisch und weltanschaulich geprägten Moderne in der Nachfolge Wagners, Nietzsches und Schopenhauers (aus welchen Gründen auch immer) skeptisch oder ganz ablehnend gegenüberstanden, also auch (und gerade) viele der sogenannten guten Musiker, sahen in ihm ihren Mann oder setzten in ihn ihre Hoffnung auf Erlösung vom Gesamtkunstwerk. Er repräsentierte einen ihnen sympathischen älteren Musikertypus und war doch zugleich unverkennbar modern, wenigstens in der Wahl der musikalischen Mittel. Die Anwendung dieser Mittel wurde jedoch auch nicht selten gerade von denen gerügt, denen der Typus an sich gefiel, weil sie die von ihm befriedigten musikalischen Bedürfnisse als gerechtfertigte anerkannten.

Worin und auf welche Weise manifestierte sich nun dieser Musikertypus? Zum einen schuf er nicht nur Werke von hohem Kunstanspruch, sondern auch alle Arten von mittlerer Musik – der Musikhistoriker Heinrich Besseler sollte sie später»umgangsmäßige« Musik nennen[16] –, Musik für den gottesdienstlichen Gebrauch, für den Unterricht, für die verschiedenen Vereine (Männer-, Frauen-, Kinderchöre, gemischte Chöre), Hausmusik verschiedener Zweckbestimmung und Besetzung, Lieder, Vierhändiges etc. Bei diesen Werken, die tatsächlich in unübersehbarer Fülle vorliegen, handelt es sich nicht um Gelegenheitsmusiken – etwa auf Bestellung, obgleich die Verleger auch gern derartige Stücke erbaten, so daß es keiner besonderen Gelegenheit bedurfte, sie zu schaffen –, eher mochte Reger alle Musiker und Musikfreunde in gleicher Weise mit Neuem versorgen,

---

16 H. Besseler, *Grundfragen des musikalischen Hörens*, in: *Jahrbuch der Musikbibliothek Peters für 1925*, S. 35–52, bes. S. 46f.

also nicht nur die Virtuosen und die Besucher der anspruchsvollen Symphoniekonzerte, sondern vor allem auch die Kirchen-, Vereins- und Hausmusiker. Diese ganze mittlere Musik, die es selbstverständlich auch im 19. Jahrhundert stets gegeben hatte, erhielt durch Regers Schaffen ein neues Ansehen. Für den Komponisten selbst waren es freilich *insofern* bloß Nebenwerke, als sie neben den großen, ambitionierten Kompositionen, wenn auch in kaum je unterbrochener Folge, entstanden. Max Reger hat sich, wie Anton Bruckner, fernab von einem großen musikalischen Zentrum gebildet. So konnte sich in ihm, der ganz auf sich gestellt war, ein Musikertum entwickeln, das zu dem zeitüblichen großstädtischen, das durch alle möglichen Ideen, die mit Musik unmittelbar nichts zu tun haben, geprägt ist, in einem eigentümlichen, höchst charakteristischen Gegensatz steht. Die Grundlagen dieses Musikertums waren einerseits der Stand des Volksschullehrers, andererseits eine mehr handwerksmäßige musikalische Praxis, die im neuzeitlichen Geniekult etwas Lächerliches, Aufgeblasenes und womöglich Wichtigtuerisches sah. Es gibt genug Aussprüche Regers, die dies drastisch beweisen, und über die sogenannten »inneren Erlebnisse«, die jeder Konservatorist als Motivation für seine kompositorische Tätigkeit vorgab, konnte er nicht genug spotten[17].

Reger ist dreiundvierzigjährig, also in den sogenannten besten Jahren (heute würde man sagen: jung) gestorben. Tatsächlich ging er mitten aus dem Leben, aber doch nicht gänzlich unerwartet. Es gab in diesem von Unrast erfüllten, gleichwohl überaus erfolgreichen Leben schwerste Krisen. Das Jahr 1914 war, abgesehen von allem anderen, für Reger ein solches Schicksalsjahr: im Februar der Zusammenbruch – er zwang zu einer mehrwöchigen Kur in Meran –, der Tod seines Herrn und Mäzens, des Herzogs von Sachsen-Meiningen, schließlich, das vielleicht für ihn als Künstler Bedeutungsvollste, die kompositorische Krise, die sich an den Abbruch der Arbeit an der bereits weit fortgeschrittenen monumentalen Totenmesse, die als Hauptwerk angelegt war, anschloß und von der sich Reger nurmehr schwer (wenn überhaupt) erholte. Was war geschehen?

Während der Kur in Meran durfte Reger, um sich nicht anzustrengen, nichts arbeiten. Aber so wie er nun einmal war, bedeutete ihm kompositorische Tätigkeit, die anderen als Arbeit gelten mochte, weil sie ihm zur natürlichen Lebensäußerung geworden war, die beste Erholung. In dieser

17 Vgl. z.B. M. Reger, *Offener Brief*, in: *Die Musik* 7 (1907/08), S. 10ff.; abgedruckt in: K. Hasse, *Max Reger*, a.a.O., S. 194ff.

Tätigkeit fand er Entspannung und Ruhe. Und so begann er, sobald es nur irgend ging, neue Werke zu schaffen. Zunächst waren es Kleinigkeiten – Präludien und Fugen für Sologeige und kanonische Geigenduette (op. 131 a und b) –, dann folgten, während der Rekonvaleszenz im Berchtesgadener Land, die *Mozart-Variationen*. Sie sind das Werk eines Genesenden, der den Frühsommer auf ganz neue Weise erlebt. Nach einem Klavierquartett und den *Telemann-Variationen* für Klavier, die ihn wieder im Vollbesitz seiner Kräfte zeigen, beginnt er endlich wieder einmal ein großes, ja überhaupt sein größtes Werk, wie es gerade seine Verehrer schon lange von ihm erwarteten, eine *Missa pro defunctis*, eine Totenmesse. (Es war dies, nach allem, was vorgefallen war, gewiß keine zufällige Wahl!) Die Komposition ging ihm gut von der Hand, und so hatte er alsbald eine bis ins letzte Detail ausgearbeitete Reinschriftpartitur des ersten Satzes, »Introitus« und »Kyrie«, niedergeschrieben und dem Verleger als Druckvorlage annonciert. Vom zweiten Satz, der Sequenz, »Dies irae, dies illa«, hatte er die Partiturniederschrift beinahe vollendet, als er, einem Rat seines Freundes Karl Straube folgend – er hielt das Werk für nicht bedeutend genug –, die Arbeit abbrach. Über den Inhalt des Gesprächs der beiden Freunde, die grenzenloses Vertrauen zueinander hatten, kann man heute nurmehr Mutmaßungen anstellen. Reger hat Straube, der ihm bildungsmäßig und intellektuell weit überlegen war, vertraut. Und Straube konnte natürlich nicht ahnen, daß sein Freund anderthalb Jahre später bereits tot sein werde; Straube hat sich vielleicht an den zahlreichen Wortwiederholungen gestoßen, vielleicht an dem ganz klanglich orientierten Aufbau mit seinen langen Orgelpunkten; vielleicht klang es seinen an der evangelischen Kirchenmusik Bachs und seiner Vorgänger gebildeten Ohren einfach zu mystisch, zu katholisch. Reger hat jedenfalls die Lust an dieser Arbeit verloren, ja überhaupt den Faden. Er schenkte Straube das Manuskript und geriet neuerlich in eine Krise, aus der er sich nur langsam, durch die sich schwierig gestaltende Arbeit an der Violinsonate c-Moll op. 139, von der er später sagen sollte, sie sei in einem ganz neuen freien Stil geschrieben, herausarbeitete[18].

In seinem letzten Sommer, dem des Jahres 1915, komponierte er die beiden Gesänge mit Chor, den »Einsiedler« von Eichendorff und »Requiem« von Hebbel, dazwischen instrumentierte er noch seine *Beethoven-*

---

18 Zum Komplex Straube–Reger vgl. auch S. Popp, *Einleitung*, in: *Max Reger. Briefe an Karl Straube*, a.a.O., S. 9ff. Zum Problem des Spätwerks insgesamt siehe R. Brotbeck, *Zum Spätwerk von Max Reger*, Wiesbaden 1988.

Variationen op. 86, die noch aus einer Zeit stammten, als er eine große Zukunft vor sich sehen durfte; im Winter entstand dann sein letztes Werk, das Klarinettenquintett. Danach orchestrierte er nur noch eigene ältere Werke, die *Suite im alten Stil* op. 93 und ein Dutzend eigene erfolgreiche Lieder. In den Liedpartituren des Originalverlegers findet sich die Notiz: »Der Komponist hat die Instrumentierung dieser Lieder im Jahre 1916 vollendet und die Bürstenabzüge einige Tage vor seinem Hinscheiden druckreif erklärt«. Am Ende seiner Laufbahn steht also neben der Revision Bach'scher Präludien und Fugen die Bearbeitung eigener älterer Werke, nicht etwa – wie bei ihm früher üblich – rastloses Neuschaffen. Der Charakter des Rückblicks, der Erinnerung ist unverkennbar. Und es ist gewiß auch kein Zufall, daß selbst die Originalwerke dieser letzten zwei Jahre auf eigene ältere Werke zurückblicken, diese voraussetzen. Teilweise wiederholen sie bewährte Konzeptionen, wie die beiden Variationszyklen, teilweise setzen sie gattungsgleiche Werke voraus, wie etwa das zweite Klavierquartett op. 133 das erste op. 113, oder die beiden Trios op. 141 die des op. 77. Diese Trios von 1915 belegen nicht nur die Bindung an eigene Werke, sondern beschwören das Vorbild der klassischen Musik, die in dieser Spätzeit wieder mehr ins Blickfeld rückt, hier bestimmte Kompositionen des jungen Beethoven. Alle diese Werke, die das Spätwerk Regers bilden, haben einen eigenen, unverkennbaren Ton. Hinter einer ganz unproblematischen Oberfläche verbirgt sich Resignation (so der originale Titel des Gedichtes von Eichendorff, das Reger als »Einsiedler« vertonte), Einsamkeit und Todesahnung, vielleicht sogar Todessehnsucht.

Reger war alles andere als ein (wie Paul Bekker vermeinte) »spekulativer« Musiker[19] oder ein musikalischer Intellektueller, ja er war, nach den Maßen einer bürgerlichen, vom Gymnasium geprägten humanistischen Bildung nicht einmal ein Gebildeter. Sein Freund Karl Straube, der wirklich umfassend gebildet war und den sehr seltenen Typus des wissenden Musikers repräsentierte, nannte ihn eine »geniale Instinktnatur«[20]. Reger und Straube bildeten also ein sehr ungleiches Freundespaar. Anfänglich, also Jahre vor der Jahrhundertwende, war Straube Regers virtuoser Interpret, ein bewunderter Musiker, der Ratschläge geben durfte, Ratschläge, die der Komponist zu seinem eigenen Vorteil nicht unberücksichtigt ließ.

19 P. Bekker, *Reger* (1916), in: ders., *Kritische Zeitbilder*, Berlin 1921, S. 135–141.
20 K. Straube an K. Hasse am 12.3.1906, vgl. *Max Reger. Briefe an Karl Straube*, a.a.O., S. 109.

In welchem Umfang er ihnen gefolgt ist, wird sich wohl nicht mehr ausmachen lassen, aber es sind auch heute noch nicht alle Quellen, vor allem die verschiedenen Autographe der entscheidenden Orgelwerke, wissenschaftlich ausgewertet. Wechselwirkung ist hier vorauszusetzen, denn schließlich schuf Reger für Straube. Straube half auch bei der Beschaffung von Texten zum Komponieren und stand bei der Lösung praktischer Probleme dem stets unter Zeitnot leidenden Komponisten mit Rat und Tat bei. So war Reger seinem Freund schließlich tief verpflichtet. Gleichwohl nahmen die beiden Künstler, ihrer jeweiligen Veranlagung entsprechend, eine verschiedene Entwicklung, genauer: sie entwickelten sich in entgegengesetzter Richtung. Straube gelangte nach langen Jahren zu einem (im besten Sinne des Wortes) akademischen Historismus, Reger näherte sich seit dem Beginn seiner Tätigkeit als Dirigent in Meiningen dem Ideal, das Straubes Jugend beherrschte und von dem er sich, bestätigt durch den jungen Reger, abgewandt hatte, dem der neudeutschen Romantik. Diese Entwicklungen bestätigten Straubes Überlegenheit. Reger ergab sich seinem Einfluß, seiner überlegenen Argumentation. Ob der Einfluß, den der hoch gebildete Straube auf den unsicheren Reger ausgeübt hat, stets günstig war? Wer möchte das beurteilen! Regers Gattin war jedenfalls betrübt und unglücklich. In einem Brief vom 16. Dezember 1914, also zwei Tage nach dem Gespräch über das *Requiem*, beklagte sie, daß Straube »ihm bewiesen [habe], daß er dem Stoff nicht gewachsen ist u. nun kann er es nicht fertig schreiben (...) *Wie oft* (...) hat Straube Werke von Max verworfen, die dann groß u. herrlich waren u. ihren Weg gingen. Straubes Einfluß ist nicht gut auf Max«[21]. Noch mehr als 20 Jahre nach Regers Tod war Straube – damals eine musikalische Autorität ersten Ranges in Leipzig – der Ansicht, das *Requiem*-Fragment sei nicht bedeutend genug für eine Publikation[22]. Seine eigene Entwicklung hat ihn eben in eine ganz andere Richtung, in eine andere musikalische Welt geführt. Mit Recht nennt die Herausgeberin der Briefe an Straube, Susanne Popp, die Ereignisse vom Dezember 1914 für Reger eine »kompositorische Katastrophe«[23]. Das große Werk, auf das der Komponist so lange hingearbeitet hatte, das große geistliche Werk, das auf Grund der äußeren und der inneren Gegebenheiten nur ein dem Totengedächtnis gewidmetes Werk sein konnte, blieb ein Torso. Und der an sich selbst zweifelnde, verzagte Komponist resignierte und konnte nurmehr die

---

21 *Max Reger. Briefe an Karl Straube*, a.a.O., S. 245.
22 Vgl. S. Popp, *Die ungeschriebenen Oratorien Max Regers*, a.a.O., S. 394.
23 *Max Reger. Briefe an Karl Straube*, a.a.O., S. 246.

Kraft für kleinere Werke sammeln. Sein Hauptwerk blieb er der Nachwelt schuldig. – Das gewaltige Fragment, neuerdings im Druck zugänglich, ist bisher nur wenig bekannt. Einige Gedanken daraus fanden schließlich Eingang in eine der allerletzten Kompositionen Regers, die Vertonung des Gedichts »Seele, vergiß nicht die Toten« von Friedrich Hebbel, deren Titel, »Requiem«, auch an das unvollendete Hauptwerk gemahnt.

Zwischenbemerkung

Max Reger war innerlich unsicher und daher beeinflußbar. Nicht nur ein vertrauenswürdiger Freund vermochte ihn umzustimmen oder zu beeinflussen, sondern auch ein Verleger oder die Kritik. Nur so lassen sich die seltsamen Änderungen in der Einschätzung eigener (und fremder) Werke erklären. Zwei seiner ambitioniertesten Werke, die von den Einsichtsvollen unter den Bewunderern als »echtester Reger« ganz besonders hoch eingeschätzt werden, die Sinfonietta op. 90 und das Violinkonzert op. 101 – übrigens beide in A-Dur –, hat der Komponist unter dem Eindruck der Kritik so gut wie preisgegeben. Die Sinfonietta, sein erstes großes Orchesterwerk, war zunächst erfolgreich, wenn sich auch kritische Stimmen, vor allem wegen der ungewohnten Orchestertechnik, vernehmen ließen. Verrisse, wie sie Bruckner oder Mahler zuteil wurden, gab es jedenfalls nicht. Reger hat selbst etliche Aufführungen gehört, einige auch geleitet mit dem Ergebnis, daß er sein Werk als gut klingend beurteilte. Er sprach sogar davon, daß (unter der Leitung des Brahmsapostels Fritz Steinbach) alles »ganz unglaublich« geklungen habe und »selbst die verwickelte Polyphonie (...) restlos zu Tage« getreten sei[24]. Auch sonst gab es beifällig aufgenommene Aufführungen, aber ebenso auch solche, die auf Widerspruch stießen, wie die in Wien (unter Franz Schalk) und die in München unter Felix Mottl, des Dirigenten der Essener Uraufführung. (Mottl hat sich übrigens, was bei seiner Geschmacksrichtung nicht weiter verwunderlich ist, alsbald von der Sinfonietta innerlich abgewandt[25].) Bei der Sinfonietta war es die für damalige Verhältnisse ganz ungewöhnliche, als orgelmäßig empfundene Orchestration, die befremdete und die tatsächlich nur bei zu-

---

24 Max Reger in seinen Konzerten, Teil 1: O. Schreiber, Reger konzertiert, Bonn 1981, S. 145.
25 Vgl. Jugendstil-Musik? Münchner Musikleben 1890–1918, Ausstellungskatalog, hg. von R. Münster und H. Hell, Wiesbaden 1987, S. 222.

reichender Probenarbeit das differenzierte Stimmgefüge erkennbar werden läßt. Beim Violinkonzert befremdete und verwirrte die ungewöhnliche Länge. Selbst der Widmungsträger Henri Marteau erbat Kürzungen, zu denen sich Reger aber nicht bereit finden mochte[26]. Das Konzert war dennoch ein Erfolg! Es wurde gar nicht selten gespielt, es wurde sogar von anderen Virtuosen studiert und zum Erfolg geführt. Da aber die Kritik nicht verstummte, gab Reger dieses Werk, sein bis dahin größtes, ganz wie die *Sinfonietta*, preis: er wünschte keine Aufführungen mehr, wollte sogar Adolf Busch, der als junger Virtuose darin brillierte und musikalisch überzeugte, nur um weitere Aufführungen zu verhindern, ein kleineres und eingängigeres Werk für Sologeige und kleines Orchester schreiben (Reger hat es nicht mehr vollenden können)[27].

Mit dem *Symphonischen Prolog zu einer Tragödie* op. 108 erging es Reger ganz ähnlich; auch hier hat er sich der Kritik gebeugt; er hat sich zunächst zu Kürzungen, die immerhin formal möglich waren, bereit gefunden, schließlich sogar nur noch Aufführungen in einer stark gekürzten Gestalt gewünscht[28].

III.

Die Entwicklung Straubes – er wurde später Thomaskantor in Leipzig und gewann im Musikleben dieser Stadt unvergleichbaren Einfluß – ist wohl repräsentativ für das fein gebildete deutsche Musikertum, das zunehmend Unbehagen an reichen musikalischen Mitteln empfand und im schwelgerischen Wohlklang (oder auch Mißklang) nurmehr Äußerliches zu sehen vermochte. Erstrebt wurde jetzt ehrliche Schlichtheit, Einfachheit. Der Wunsch, Gesamtkunstwerke zu schaffen, alles irgend Mögliche zu vereinigen, miteinander zu verschmelzen oder nebeneinander zu stellen, galt als vermessen, als unehrlich. Angesichts des Zusammenbruchs der alten Ordnungen und Wertsysteme, also der neuen Realitäten, erschien Bescheidenheit angemessen, Nüchternheit und Klarheit geboten. Der Weg, den Straube gegangen ist, einer vom romantischen Orgelvirtuosen großen Stils – er brillierte mit Liszt – zum Thomasorganisten und schließlich zum Thomas-

---

26 Vgl. *Max Reger in seinen Konzerten*, Teil 1, a.a.O., S. 157.
27 Ebenda, S. 162.
28 Ebenda S. 163f.

kantor, darüber hinaus zum Repräsentanten einer im Zeichen der liturgischen Bewegung erneuerten evangelischen Kirchenmusik, war wirklich weit.

Reger, der vom jungen Virtuosen in der Öffentlichkeit vorgestellt, bekannt gemacht und schließlich als Komponist durchgesetzt worden war, der vertraute Freund der frühen Jahre, erschien dabei, was wirklich nicht verwunderlich ist, in verändertem Licht. Bereits 1924, also nur acht Jahre nach dem Tod des Freundes, schrieb er bei Gelegenheit eines Regerfestes: »Reger bedurfte der Natur seines inneren Wesens nach diesen [sic] Sicherungen [der Tradition], denn er war ein von leidenschaftlichen Ausbrüchen hin und her geworfener, von Gefühlsspannungen erfüllter, gewaltsamer Mensch, als solcher den paradoxalen Widersprüchen der modernen Kultur zugeneigt und ihren Einflüssen hingegeben. Aber aus allen diesen bis zum Äußersten getriebenen Steigerungen einer vielleicht anarchischen Natur suchte und fand er den Weg zur Ruhe in dem sicheren Bewußtsein des Geborgenseins in Gott; die Dämonie des Voraussetzungslosen wird gebunden durch die Mystik einer mittelalterlich-christlichen Weltempfindung, Größe und Beschränktheit liegen in diesem Gegensatz eingeschlossen. Eine Kunst, aus solchen Elementen geboren, ist nur möglich in Zeiten des Überganges; die Tafeln übernommener Gesetzeswerte werden zertrümmert, neue Formungen der Lebensgestaltung werden mit heißem Verlangen gesucht, aber bleiben selbst in den Umrissen noch unsichtbar. Stärkstes Gleichnis einer solchen Zeit ist Regers Kunst, Einzigartigkeit und Bedeutung ihres Wesens finden hierin ihre Begründung. In den Kämpfen und Schmerzen dieses leidenschaftlichen Geistes findet die Jugend unsrer Tage den bewegenden Ausdruck der eigenen Not, aber darin vor allem bleibt Reger leuchtendes Vorbild, daß er in demutsvollem Neigen, in einem überpersönlichen mystischen Erschauen die einzige Rettung aus dem Wirrnis kampferfüllter Schicksalswege zu finden Glauben und Hoffnung hatte.«[29]

Vorbildlich war also für Straube bereits damals nicht mehr das geschaffene Werk, sondern die es tragende Gesinnung, vor allem die Abwendung vom Subjektivismus. Diese Einschätzung des Regerschen Werkes machte im Bereich des Protestantismus Schule, die erst dann ihr Ende gefunden hat, als diese Entwicklungstendenz sich im Bereich der Kirchenmusik ausgelebt hatte (was bekanntlich erst in den fünfziger Jahren der Fall war). Diese Entwicklung genauer nachzuzeichnen hieße, eine Geschichte der

---

29 K. Straube, *Max Reger*, in: *Mitteilungen der Max-Reger-Gesellschaft*, 4. Heft (1924), S. 2.

evangelischen Kirchenmusik des 20. Jahrhunderts zu schreiben resp. vorzutragen, wozu hier keine Veranlassung besteht. Aber einige Bemerkungen werden vielleicht nicht unwillkommen sein.

Die bereits vor der Jahrhundertwende einsetzende liturgische Bewegung, deren Organ die *Monatsschrift für Gottesdienst und kirchliche Kunst*
war, erstrebte im Zusammenhang der gesamten (auch künstlerischen) Erneuerung des Gottesdienstes auch eine Erneuerung des Orgelbaus, der sich
im 19. Jahrhundert, wie man vermeinte, arg verweltlicht hatte. Das Ideal
der monumentalen, repräsentativen Großorgel, die alles zu übertönen in
der Lage ist und ein großes Orchester zu ersetzen vermag, darüber hinaus
mit Hilfe von Walze und Jalousieschweller die Ausführung differenzierte-
ster Dynamik gestattete, war verblaßt, ja es kam als falsches, als dem Instrument wesensfremdes in Verruf. Die Orgelbewegung, ein Kind der liturgischen Bewegung und der zu akademischen Ehren gekommenen Mu-
sikgeschichtsforschung, die sich in den zwanziger Jahren durchsetzte, orientierte sich an den Orgeln, für die die entsprechenden Werke Bachs und
Buxtehudes bestimmt waren, den sogenannten Barockorgeln. Auf diesen
Orgeln waren die Werke Regers nicht mehr in der vom Komponisten in-
tendierten Gestalt darstellbar. Jeder Spieler mußte sie sich selbst, seinem
Instrument entsprechend, bearbeiten oder doch wenigstens einrichten. Da
schließlich nurmehr die alten (und die an den alten orientierten neuen) Orgeln als *richtige* Orgeln angesehen wurden, die des späten 19. Jahrhunderts
aber – grob gesagt – als Orchesterimitationsmaschinen, galt eine für diese
bestimmte Musik nicht mehr als *richtige* Orgelmusik, sondern als ein Sur-
rogat, dem kein Platz in den Kirchen und nicht einmal mehr in der Ausbildung der Organisten als Kirchenmusiker gebühre. So war es schließlich
nur konsequent (wenn auch aus künstlerischen Erwägungen überaus bedenklich), daß der hervorragende Orgelspieler und Bachinterpret Helmut
Walcha in dem von ihm geleiteten »Kirchenmusikalischen Institut der
Staatlichen Hochschule für Musik« in Frankfurt am Main die Musik Regers seit dem Ende der vierziger Jahre aus dem verbindlichen Lehrplan
gestrichen hatte. Seine Begründung, die nachzulesen noch immer lohnt[30] –
sie löste eine erregte Diskussion aus –, war einfach genug: Regers Musik
ist nicht orgelgemäß; orgelgemäß ist: kontrapunktischer Satz, Verzicht auf
wesentliche harmonische, koloristische und dynamische Wirkungen. Wirkliche Orgelmusik folgt einem bestimmten Stilideal, dem der Regersche

---

30 H. Walcha, *Regers Orgelschaffen kritisch betrachtet*, in: *Musik und Kirche* 22
(1952), S. 2ff.0

Tonsatz nicht entspricht, weil in ihm auch die reichste Kontrapunktik, die
vielgestaltigste Polyphonie nicht »linear« – so das damalige Schlagwort –,
sondern in reiches und differenziertes harmonisches Geschehen eingebettet
ist.
Auf Kritik und teilweise sogar unverhohlene Ablehnung stieß Reger
nicht nur in der Orgelbewegung, sondern auch in der Jugendbewegung.
Der Musikpädagog August Halm, einer der geistigen Führer dieser Bewegung, der die Konzentration auf die Musik in ihren vollkommensten künstlerischen Ausprägungen forderte, hielt an musikalischen Idealvorstellun-
gen, die er der Geschichte enthoben wähnte, fest. Reger, dessen Abwendung von allem Literarischen und Philosophischen beim Komponieren ihm
grundsätzlich sympathisch sein mußte, verwirrte ihn durch Massenpro-
duktion, dadurch, daß sich diese nicht ihrerseits an erkennbaren Idealvor-
stellungen orientierte, nicht Gesetzen – etwa dem, wie ein Thema zu bilden
sei – folgte[31]. Halm sah bei Reger, wie auch Heinrich Schenker, Schwäche
und Zerfahrenheit (statt Stärke und Konzentration). Die Ansicht Halms,
die von seinem Standpunkt aus konsequent (und mithin berechtigt) sein
mochte, wäre hier nicht zu erwähnen gewesen, hätte sie nicht sehr weitrei-
chende Folgen gehabt. Ernst Bloch, der Philosoph, dessen Weltanschauung
(nach einem Wort von Paul Honigsheim) in »einer Kombination katholi-
scher, gnostischer, apokalyptischer und ökonomisch-kollektiver Elemente«[32] bestand, ist in seinem mittlerweile oft zitierten Passus über Reger in
seinem *Geist der Utopie* (1918) durchaus von Halm inspiriert (oder doch
wenigstens bestätigt)[33]. Walter Krug ging in seinem damals vielgelesenen
Pamphlet über die neue Musik (1920) von Halm aus[34], ganz wie auch die
Beurteiler der Musikentwicklung aus dem Geist der Schule Stefan Georges, Erich Wolff und Carl Petersen[35]. Da weite Bereiche der Jugendbewegung, vor allem die, die sich – wie man damals sagte – um ein neues Men-
schenbild mühten, den Ideen des Georgekreises gegenüber sehr aufge-

---

31 A. Halm, *Der Führer Max Reger* (1914), in: ders., *Von Sinn und Form in der
    Musik*, hg. von S. Schmalzriedt, Wiesbaden 1978, S. 275–277.
32 P. Honigsheim, *Max Weber in Heidelberg*, in: *Max Weber zum Gedächtnis*,
    hg. von R. König und J. Winckelmann, Köln und Opladen 1963, S. 187f.
33 E. Bloch, *Geist der Utopie*, unveränderter Nachdruck der bearbeiteten Neuauf-
    lage der zweiten Fassung von 1923, Frankfurt a.M. 1973, S. 89.
34 W. Krug, *Die neue Musik*, Erlenbach bei Zürich 1920.
35 E. Wolff und C. Petersen, *Das Schicksal der Musik von der Antike bis zur Ge-
    genwart*, Breslau 1923.

schlossen waren, hat diese kritische, hochmütig-antimusikalische Einstellung gegenüber Reger neue Nahrung erhalten. Sowohl Krugs Schrift, als auch das Buch von Wolff und Petersen wurden in der *Musikantengilde*[36], der damals wichtigsten Zeitschrift der musikalischen Jugendbewegung, lebhaft diskutiert und dabei wurde, wie es in einer solchen Auslassung heißt, mit dem sich in Regers Werken zeigenden Dämon gerungen[37]. Fritz Jöde schließlich, der Führer der musikalischen Jugendbewegung, bot in seinem Buch über Bachs *Inventionen* (1924) kaum mehr Kritik, sondern nurmehr haltlose Polemik[38]. Die Singbewegung dagegen, also der Teil der musikalischen Jugendbewegung, der nicht aus dem Wandervogel hervorgegangen ist (sondern aus der Volksliedpflege) und sich schließlich ganz an der Alten Musik, an Heinrich Schütz und der altdeutschen Liedkunst orientierte, hat Regers Musik kaum mehr diskutiert, obgleich doch gerade einige der Komponisten neuer Musik, die gegen Ende der zwanziger Jahre ihre Laufbahn begannen (und diesen Kreisen mindestens nahe standen), ihr so viel verdanken. Hier wäre etwa an Wolfgang Fortner und Wilhelm Maler zu erinnern – beides später erfolgreiche Lehrer –, die selbst Schüler ei-

---

36 Z.B. A. Halm, *Die Symphonie Anton Bruckners*, München ²1923, Nachwort; M. Schlensog, *Entscheidung*, in: *Die Musikantengilde* 2 (1924), S. 25–30.

37 M. Schlensog, *Max Reger, Beiträge zu einer Orientierung über seine Gestalt*, in: *Die Musikantengilde* 2 (1924), S. 7–12; darin heißt es (S. 11f.): »Die kürzeste Formel würde lauten: Regers Musik fehlt ein Etwas zugunsten eines großen Überschusses an einer anderen Eigenschaft. [...] Als ich Regers Klaviersonatinen und sein ›Tagebuch‹ kennen lernte, da versenkte ich mich in sie und versengte mich an ihnen, weil es damals im Rate böser Götter beschlossen schien, daß ich auch sollte auflösenden gefährlichen Mächten zum Opfer fallen. Als ich aber eines Tages in der 3. Sonatine (F-Dur) den ›erkrankten Dämon‹ von Angesicht zu Angesicht sah, da wich der feindliche Drang. Sein Helles ist dem Galgenhumor verwandt, sein Dunkles ist Bitternis – beides schwer und tief und Dokument eines erkrankten Dämon. Es fehlt seiner Musik das Zuständliche, die lebende kräftige Geduld, die schöpferische Ruhe eines aus dem Geiste wehenden Atems. Alles ist im Vorübergehen, im Kommen oder Schwinden. Darum ist diese Musik nicht bindend im großen, nur für eine kleine Gemeinde, für zwei, am besten für einen. Denn nur einer kann solche Krisen und Seelenschwankungen in der Musik ohne Scham nacherleben. Das Einzelwesen wird bedeutend gefördert, in seiner Eigenschaft als Glied der Menschheit aber gehindert!«

38 Fr. Jöde, *Regers Orgelbearbeitung der Bachschen Inventionen*, in: ders., *Die Kunst Bachs dargestellt an seinen Inventionen*, Wolfenbüttel 1926, S. 201ff.

nes Regerschülers – von Hermann Grabner – waren. Aber um diese Zeit diente schon nicht mehr Reger direkt, sondern der diesem in so vieler Hinsicht unmittelbar nachfolgende Paul Hindemith, als Vorbild. Dazu kam noch, daß mittlerweile längst die vorbachische evangelische Kirchenmusik selbständig Einfluß gewonnen hat, vornehmlich vermittelt durch die weithin ausstrahlende künstlerische (und allgemein geistige) Wirksamkeit des Thomaskantors Karl Straube.

Straube hat auch noch in dieser Zeit (und auch späterhin) stets für Reger gewirkt, er hat auch – wie einst auf den jungen Reger – auf jüngere Komponisten dieser Zeit fördernd eingewirkt und so deren Entwicklung vielfach entscheidend mitbestimmt (z.B. die von Wolfgang Fortner, Günter Raphael und Johann Nepomuk David)! Durch Straube wurde Leipzig zu einem bedeutenden musikalischen Zentrum ganz eigenen Charakters, eines mit einer ganz unverwechselbaren geistigen Physiognomie. Innerhalb dieser Stadt kam selbstverständlich auch dem Regerschüler Grabner, dem wichtige Mitteilungen aus Regers Unterrichtspraxis zu danken sind[39] und der es verstand, begabte Schüler an sich zu ziehen, Bedeutung für die Regerüberlieferung zu. Die allgemeine Tendenz ging jedoch in Richtung Vereinfachung und Diatonisierung, und ihr folgten auch die ehemaligen Schüler Regers, der biedere Joseph Haas, der doktrinäre Karl Hasse und eben auch Grabner. Regers bewunderungswürdig genaue, penible dynamische Bezeichnung seiner Manuskripte mit roter Tinte (in einem extra Arbeitsgang), die genaue Beachtung dieser Angaben bei der Durchführung des Stichs und des Drucks erschienen im Lichte der neuen Entwicklung als übertrieben, ja, da sie die angeblich »eigentlichen« Qualitäten des Tonsatzes verdecken, als störend und für das Ansehen der Werke sogar schädlich. Manche Deuter der Kunst Regers, vor allem Walter Harburger[40], sahen im Anschluß an die Kritiker Paul Bekker[41] und Adolf Weißmann[42] in Regers Tonsatz hauptsächlich Zerfall und Auflösung der alten Ordnungen (der

39 H. Grabner, *Aus Regers Kompositionsunterricht*, in: *Mitteilungen der Max-Reger-Gesellschaft*, Heft 17 (1941), S. 10ff.; ders., *Max Reger als Lehrer*, in: *Das Klavierspiel* 2 (1960), Heft 5, S. 3ff.; ders., *Regers Harmonik*, München 1920.

40 W. Harburger, *Form und Ausdrucksmittel in der Musik*, Stuttgart 1926, S. 119ff.

41 Vgl. P. Bekker, *Reger*, a.a.O.

42 A. Weißmann, *Max Regers Lebenswerk*, in: *Die neue Rundschau* 27 (1916), S. 986–993; vgl. auch ders., *Die Musik in der Weltkrise*, Stuttgart 1922, S. 121ff.

Tonalität, des Satzbaus) und, da sie dies nicht negativ bewerteten, darin eine quasi natürliche Affinität zu der Entwicklung der Neuen Musik. Diesem Eindruck sollte jedoch von Traditionalisten entgegengewirkt werden, und so erschienen etliche Neuausgaben Regerscher Werke mit vereinfachter Dynamik und Artikulation, so 1928 vom Streichquartett d-Moll op. 74 durch Ossip Schnirlin und 1938 der Orgelfantasie über das Lied »Ein' feste Burg ist unser Gott« op. 27 von Karl Straube. Schließlich wurde auch noch im Sinne der Zeit, die sich selbst neue Sachlichkeit bescheinigte, radikal uminstrumentiert, so durch den Regerschüler Karl Hermann Pillney der *Gesang der Verklärten* op. 71 (1933). Und zwanzig Jahre später wurde sogar der *100. Psalm* Objekt einer derartigen vereinfachenden Bearbeitung. Der Bearbeiter war kein Geringerer als Paul Hindemith, der sich, wie auch alle anderen Bearbeiter, Reger tief verpflichtet fühlte. Alle diese Revisionen und Bearbeitungen – eine Grenze ist da nicht zu ziehen – erfolgten in bester Absicht, wurden ausschließlich in der Hoffnung durchgeführt, die Werke zu verbessern und ihnen so eine weitere Verbreitung zu sichern. Vielleicht läßt sich dieser Vorgang vergleichen mit dem Abschlagen der Reliefs von den Fassaden der Wohnhäuser aus der Gründerzeit.

Der Wunsch, Regers Werke in die Nähe der vereinfachten Musik der dreißiger Jahre zu rücken, sie also von der im Expressionismus wurzelnden Neuen Musik abzurücken, führte dazu, den Komponisten, der seine innere Zerrissenheit so gut zu verbergen gewußt hatte, in einen kerngesunden urdeutschen Mann umzudeuten, in einen, der mit Dekadenz und Atonalität, überhaupt mit der Musikentwicklung in der »Systemzeit« – so der bei Nationalsozialisten gebräuchliche Name für die Jahre 1919–1932 – nichts zu schaffen habe. Reger wurde als Prototyp des kerndeutschen Meisters dem dekadenten Internationalismus gegenübergestellt und verherrlicht. Daß Reger von Richard Eichenauer in seinem Buch *Musik und Rasse* der »ostbaltisch-dinarischen« (und nicht der nordischen) Rasse zugerechnet und ihm eine »ostbaltische Rassenseele« zugesprochen wurde, empörte den Regerschüler Karl Hasse zutiefst, vor allem, weil diese für die »Neigung zur Selbstzerfaserung« und die »ängstlich-kleinliche Überladung (...) mit verdeutlichenden Vortragszeichen« verantwortlich sei[43]. Leider haben umfangreiche, unerquickliche Erörterungen solchen Unfugs in den sonst wertvollen *Mitteilungen der Max-Reger-Gesellschaft* jener Jahre ihren

---

43 R. Eichenauer, *Musik und Rasse*, München 1932, ²1937, S. 295.

Niederschlag gefunden[44]. – Es versteht sich, daß es damit 1945 ein Ende hatte.

Nach dem letzten Krieg trat Regers Kunst etwas in den Hintergrund, galt es doch, all die Musik, die während des Dritten Reiches verpönt und verboten war – und die somit der jüngeren Generation gänzlich unbekannt war –, kennenzulernen. Und der unaufhaltsame Aufstieg der Meister der Wiener Schule, Arnold Schönberg, Alban Berg und Anton Webern, ließ Reger etwas in den Hintergrund treten. Das war gut so (nicht nur, weil es manchen Regerschüler vor peinlichen Fragen bewahrt hat). So konnten in aller Ruhe die organisatorischen und wissenschaftlichen Grundlagen einer neuen Regerforschung gelegt werden: 1953 erschien endlich das Reger-Werkverzeichnis von Fritz Stein, 1954–1970 in rascher Folge die 35 Bände der Reger-Gesamtausgabe, der später (1974–83) dann noch drei wertvolle Supplementbände folgten. Damit war zunächst einmal das bis dahin unübersehbare kompositorische Schaffen allgemein zugänglich. (Was noch fehlt, sind die z.T. sehr wichtigen und aufschlußreichen Bearbeitungen und Revisionen, deren komplette Neuveröffentlichung allerdings nicht in Frage kommen dürfte.)

Auch eine richtige, den akademischen Spielregeln folgende Regerforschung ist mittlerweile entstanden, der neben Tagungen (mit den dazugehörigen Berichten und Monographien) vor allem verläßliche Briefausgaben zu danken sind[45]. Besonders zu nennen ist hier das dreibändige Quellenwerk *Max Reger in seinen Konzerten* (1981) von Ottmar und Ingeborg Schreiber sowie Rainer Cadenbachs Habilitationsschrift über Regers Skizzen[46], denen im Schaffensprozeß eine viel größere Bedeutung zukommt, als bisher angenommen wurde. Man sieht: die historische Regerforschung hat begonnen, der Kampf um den Künstler Reger hat geendet. Aber: die Regerforscher sind keine Regerenthusiasten mehr; Reger ist für sie ein mit Erfolgsaussichten zu traktierender Forschungsgegenstand.

Wie gesagt: die Musik der Wiener Schule wurde aktuell. In ihrem Umkreis gab es auch einige Regerverächter, aber auch ausgesprochene Reger-

---

44 Vgl. z.B. Karl Hasse, *Mitteilungen und Bemerkungen*, in: *Mitteilungen der Max-Reger-Gesellschaft*, Heft 10 (1933), S. 19f.

45 O. Schreiber (Hg.), *Max Reger – Briefe zwischen der Arbeit*, Bonn 1956; ders. (Hg.), *Max Reger – Briefe zwischen der Arbeit*, Neue Folge, Bonn 1973; S. Popp (Hg.), *Max Reger – Briefe an Fritz Stein*, Bonn 1982; *Max Reger. Briefe an Karl Straube*, a.a.O.

46 Vgl. R. Cadenbach, *Max Reger – Skizzen und Entwürfe*, Wiesbaden 1988.

ianer. In dem von Schönberg geleiteten »Verein für musikalische Privataufführungen« wurde kein Komponist so stark berücksichtigt wie Reger.
Aus der Vereinsarbeit haben sich einige Bearbeitungen Regerscher Werke
erhalten, weiter aber ein aufschlußreiches Dokument, ein Text des Komponisten und Musikhistorikers Egon Wellesz über Regers *Romantische
Suite* op. 125, der auf einen bei einem Vereinsabend in Wien gehaltenen
Einführungsvortrag zurückgeht[47]. Einige Sätze mögen hier veranschauli-
chen, was hier als musikalisch wichtig gesucht und dargestellt wurde. »Es
sei hier an einem Werke«, so führt Wellesz aus, »beispielsweise erläutert,
wie ich mir im Prinzip eine derartige analytische Behandlung vorstelle, die
rein auf das Klarlegen der formalen Struktur für den musikalisch gebildeten Hörer Wert legen will, ohne auf das Harmonische und Kontrapunktische näher einzugehen« (S. 107). Dabei geht es Wellesz im wesentlichen
um die Beschreibung der Veränderung der wichtigsten Melodien. »Bei
dieser Analyse«, so heißt es im letzten Abschnitt, »konnten nur die her-
vorstechendsten Motive und Entwicklungen berücksichtigt werden«,
gleichwohl möchte die Analyse nicht nur gedanklich, sondern auch hörend
nachvollzogen werden, »denn immer deutlicher sehen wir in den modernen Werken ein neues Variationsprinzip Eingang finden anstelle der
Durchführung einzelner, melodisch fixierter Motive. Der Zuhörer muß daher (...) [hier] gerade davon abstrahieren, woran er gewöhnlich Halt und
Richtung findet, von der Wiederholung einmal aufgestellter Gedanken. Er
kann nur dem Flusse des Ganzen folgen, und findet eine Stütze in der im-
manenten Logik der Entwicklung, die durch alle Phasen der Variierung die
Einheitlichkeit wahrt« (S. 115). Wellesz hat sich übrigens auch sonst, ganz
wie der Schönbergschüler Paul A. Pisk, der heute noch hochbetagt in den
USA lebt, vielfältig für Regers Musik eingesetzt. Berg schätzte Regers
Musik, ganz wie auch Anton Webern, der als Dirigent etliche Hauptwerke
Regers, u.a. das Klavierkonzert, leitete; das Hebbel-Requiem empfand er
als ein ganz »wundervolles Werk«[48], und Weberns Schubertbearbeitung
weist durchaus innere Verwandtschaft mit Regers Einrichtung der Rosa-
mundenmusik, die Webern kaum gekannt haben dürfte, auf. Gerade diese
innere Verwandtschaft jedoch ist es, die heute erkennen läßt, daß bei der

47 E. Wellesz, *Analytische Studie über Max Regers »Romantische Suite«*, in:
   Zeitschrift für Musikwissenschaft 4 (1921), S. 106ff.
48 Brief an Schönberg vom 10.3.1930, vgl. H. und R. Moldenhauer, *Anton von
   Webern. Chronik seines Lebens*, Zürich 1980, S. 313.

Bearbeitung weder bei Reger noch bei Webern subjektive Willkür waltete, sondern künstlerische Notwendigkeit.

Und Schönberg, der sich von seinem Leipziger Verleger das im selben Verlag erschienene Violinkonzert Regers geben ließ[49] (wie anderthalb Jahrzehnte zuvor Reger Mahlers Fünfte Symphonie, die dann in der *Sinfonietta* Spuren hinterlassen hat[50]), fand in diesem Werk bei genauerem Studium 1923, was er »nicht zu finden gehofft hatte: eine an Bach gemahnende Vertrautheit mit den Tonverhältnissen.«[51] Was Schönberg hier meint, läßt sich wenigstens erahnen, stammt die Niederschrift dieser Notiz doch genau aus der Zeit, in der er die Kompositionsmethode mit zwölf nur aufeinander bezogenen Tönen entwickelte.

Eine wichtige Verbindung zwischen Schönberg und Reger ist bis heute noch wenig beachtet und gar nicht erforscht: das kompositorische und (sehr umfangreiche) musikschriftstellerische Werk des Ungarn Alexander Jemnitz, der zuerst in Leipzig Schüler Regers, dann in Berlin Schönbergs war und sich stets, auch in seinem Schaffen, zu beiden Meistern bekannte (im Variationsfinale seines Flötentrios op. 19 noch in den zwanziger Jahren zu Reger[52]).

In den fünfziger und sechziger Jahren, mit dem vollzogenen Generationswechsel, der die Regerschüler ablöste, endete eine Periode unserer Musik, die einerseits von einem durchaus romantischen Konservativismus, andererseits von klassizistischen Idealen bestimmt war. An die Stelle dieser Ideale trat Materialgläubigkeit, d.h. der Glaube an eine dem musikalischen Material immanente Entwicklungstendenz. Da war für die Kunst Regers (und auch für die Hindemiths) kein Platz. Gleichwohl wurde sie viel gespielt, aber dieser Tatsache wurde keinerlei Bedeutung zuerkannt. Ob nicht damals noch mehr geendet hat als bloß eine kurze Periode, das vermag mit Bestimmtheit heute noch niemand zu sagen. Bedenkt man

---

49 Schönberg bittet im Brief an Henri Hinrichsen, Verlag C. F. Peters, vom 24.9.1920 um Übersendung von Partitur und Klavierauszug; s. E. Klemm, *Der Briefwechsel zwischen Arnold Schönberg und dem Verlag C. F. Peters*, in: *Deutsches Jahrbuch der Musikwissenschaft für 1970*, S. 40.
50 Vgl. *Max Reger in seinen Konzerten*, Teil 1, a.a.O., S. 142.
51 Handschriftliche Notiz im Nachlaß; vgl. R. Stephan, *Zum Thema »Bach und Schönberg«*, in: *Bach-Jahrbuch 1978*, S. 232–244 (S. 232, Anm.).
52 Musikverlag Wilhelm Zimmermann, Leipzig o.J. (1925), Reprint ca. 1985 in Frankfurt; zum Werk vgl. die Kritik von Th. W. Adorno (von 1926) in dessen *Gesammelten Schriften*, Bd. 19, Frankfurt a.M. 1984, S. 291f.

freilich die Kürze der Phase der kompositorisch praktizierten Materialgläubigkeit, d.h. die der strengen seriellen Musik, so erscheint die Vermu-
tung einer Epochenschwelle als gar nicht so fernliegend.

Ein neues unmittelbares, wenn auch nicht sehr spezifisches musikalisches Interesse an der Musik Regers entwickelte sich erst wieder später,
von einer ganz anderen Seite her. Schon bei den Diskussionen über Walchas Verdikt 1952 meldeten sich, um das Orgelwerk Regers zu verteidi-
gen, u.a. auch Komponisten zu Wort, Komponisten, die ganz der diatoni-
schen Linearität ergeben waren, die aber doch geschichtliche Kontinuität
gewahrt wissen wollten, Wolfgang Fortner und Helmut Bornefeld[53]. (Beide sollten später Webern für sich entdecken.) Kaum ein Jahrzehnt mußte
vergehen, bis eine neue Orgelmusik entstand, die von aller bisher geschaffenen Musik für dieses Instrument sich absichtsvoll grundlegend unterschied, weil sie weder vom Ton und seinen Beziehungen zu den verwand-
ten Tönen noch vom Ton als einem Vertreter eines Akkordes ausging,
sondern von einem Klang (resp. Geräusch), bei dem der Einzelton nur die
Funktion eines unselbständigen Teils hatte. Diese neue Musik empfing
wesentliche Anregungen auch von der Orgelmusik Regers. Geschichtliche
Priorität darf hier György Ligetis Orgelwerk *Volumina* (1961/62) bean-
spruchen, das seinerzeit größtes Aufsehen erregte. Der Komponist notierte
dazu:»*Volumina* klingt anders als alle früheren Orgelstücke. Irgendwo
aber, unter der Oberfläche, gibt es Reste der gesamten Orgelliteratur. Irgendwo spürt man bestimmte Barockfigurationen, aber ganz verschlungen;
Liszt und Reger und der romantische Orgelklang spielen ebenfalls unter-
schwellig mit«[54]. Hier dokumentiert sich in den Worten eines der führenden Komponisten der zweiten Jahrhunderthälfte ganz fraglos ein neuartiges Traditionsverständnis, zugleich wohl aber auch ein Ende, gewiß.
Fragmente von Figuren und Klängen, kaum mehr ihrer Herkunft nach
identifizierbar, tauchen auf, klingen vielleicht auch nur an, sind mehr zufällig als freie Assoziation denn als real klanglich gegenwärtig. Es ist wie
bei den zahllosen verborgenen, nicht mehr erkennbaren oder identifizier-
baren Zitaten der jüngsten Musik – auch Reger liebte Zitate –, sie sind
vorhanden, aber sie bedeuten nichts mehr. Ihre Semantik ist erloschen, sie
sind nurmehr Material.

---

53 H. Bornefeld, *Walchas Reger-Verdikt kritisch betrachtet*, in: *Musik und Kirche*
22 (1952), S. 49ff. und W. Fortner, *Zu Helmut Walchas Aufsatz »Regers Orgelschaffen kritisch betrachtet«*, ebenda, S. 52ff.
54 O. Nordwall, *György Ligeti. Eine Monographie*, Mainz 1971, S. 128f.

Aber seit diese neue Orgelmusik entstanden ist, ist schon wieder ein Vierteljahrhundert vergangen. Ob sie noch lebt wie die Musik Regers? Abermals Jahre später, als die Idee der künstlerischen Avantgarde sich ausgelebt hatte und die Schwierigkeiten durch die sie fundierende Geschichtsphilosophie nicht mehr bewältigt werden konnten, kam eine neue Symphonik, die programmatisch bei Bruckner, Mahler, Pfitzner, Reger, Schönberg und selbst Sibelius anzuknüpfen vorgab. Entleerte Gesten, als Zitate aufgewertet, werden vernehmlich. Ausdruck ohne entsprechende konstruktive Grundlage ist wohlfeil (und verblaßt rasch) – aber es glaubt ohnehin niemand so recht an das, was sich als neue Unmittelbarkeit empfiehlt. Ob hier ein neuer Anfang gemacht wird, erscheint zumindest zweifelhaft. Die reiche musikalische Tradition, die noch das vielgestaltige Werk Max Regers ermöglichte, ist jedenfalls erloschen, die Ära der Tonkunst (wahrscheinlich) abgeschlossen.

Alexander Zemlinsky
– ein unbekannter Meister der Wiener Schule

>»Ich habe immer fest daran geglaubt, daß er ein großer Komponist war, und ich glaube noch immer fest daran. Möglicherweise wird seine Zeit früher kommen als man denkt. Eines ist für mich außer Zweifel – ich kenne keinen nach-wagnerischen Komponisten, der das, was das Theater verlangt, mit edlerer musikalischer Substanz erfüllen konnte, als er. Seine Ideen, seine Form, sein Klang und jede Wendung entsprang direkt aus der Handlung, aus der Szene und aus der Stimme des Sängers mit einer Deutlichkeit und Präzision von allerhöchster Qualität.«
>(Arnold Schönberg, *Rückblick*, in: *Stimmen. Monatsblätter für Musik* 1, Berlin-Dahlem 1947–49, S. 433ff.)

Nicht jeder Wiener Komponist unseres Jahrhunderts kann der sogenannten »Wiener Schule« zugezählt werden. Im Zentrum dieser »Schule«, die den Außenstehenden vielfach als Clique erschien, stand Arnold Schönberg, der nicht nur ein großer Komponist und bedeutender Musiktheoretiker, sondern zugleich auch – und gerade dies war die Voraussetzung der Schulbildung – ein ganz außerordentlicher Lehrer war. Die Wiener Schule trat jedoch erst als solche an die Öffentlichkeit, als die hervorragendsten Schüler Schönbergs, insbesondere Alban Berg und Anton Webern, selbst Meister (und auch ihrerseits Lehrer) geworden waren.

Diese berühmten drei bildeten das Zentrum der Wiener Schule, zu der daneben jedoch auch noch einige andere, meist sehr vielseitige Musiker gehörten, die dem Schulhaupt und dessen Lehre, wenn auch nicht unbedingt direkt durch seine Lehrtätigkeit, verbunden waren, so der Pianist Eduard Steuermann, ein Busoni-Schüler, der Geiger Rudolf Kolisch, der Primarius des in der Aufführungspraxis epochemachenden Quartetts, die Dirigenten Heinrich Jalowetz – später jahrelang Mitarbeiter Zemlinskys in Prag – und Erwin Stein und noch so mancher andere. Wurden hier aus den Schülern Freunde und Mitstreiter für das als das wahre erkannte Kunstideal, so ist die Zugehörigkeit Alexander Zemlinskys durch eine andere Art von persönlicher Beziehung vermittelt. Zunächst war Schönberg im Verhältnis zu Zemlinsky nicht Lehrer, sondern Schüler. Jedoch war das Lehren bzw. Lernen nicht das Wichtigste. Wichtig war das gemeinsame Arbeiten an bestimmten musikalischen Problemen, die gemeinsame Beratung von künstlerischen, sicher nicht nur musikalischen Fragen. Die beiden im Alter nur wenig voneinander entfernten jungen Männer wurden, nachdem sie sich einmal kennengelernt hatten, rasch Freunde. Und der Ältere, Zemlinsky, beriet den Jüngeren, Schönberg. War Schönberg Autodidakt – er hatte seine Kenntnisse und Fertigkeiten mühsam aus wenig ergiebigen Quellen, etwa aus einem Konversationslexikon, schöpfen müssen –, so hatte Zemlinsky dagegen ein äußerst erfolgreiches, gründliches Studium am Konservatorium, wo er das Metier eines Musikers von Grund auf gelernt hatte, hinter sich.

Als sich die beiden kennenlernten, wohl im Herbst des Jahres 1894, war Schönberg gerade zwanzig, Zemlinsky dreiundzwanzig Jahre alt. Sie gingen dann ein knappes Jahrzehnt künstlerisch einen gemeinsamen Weg. Zur Freundschaft kamen schließlich auch noch familiäre Beziehungen: Schönberg heiratete 1901 Zemlinskys Schwester Mathilde, die, nach allem was man von ihr weiß, eine bedeutende Frau gewesen sein muß.

Die innige Freundschaft, die die jungen Männer verband, hat beide einander lebenslang tief verpflichtet und alle Spannungen, die auch dieser Beziehung nicht erspart geblieben sind, überdauert. Schönberg wurde der große Komponist, der zwar viel bekämpft und unsäglich geschmäht, aber doch nicht übersehen wurde; Zemlinsky dagegen, ein wunderbarer Musiker, wirkte hauptsächlich als Dirigent, fand aber insgesamt nicht die ihm gebührende, über das Lokale und über den Kreis der Kenner hinausgehende Anerkennung. Als Komponist drang er nicht durch, trotz zahlreicher nicht einmal geringer Erfolge. Keine seiner Opern hat sich im Repertoire behauptet, seine Kammermusik wurde vergessen, und seine Lieder – darunter einige wirkliche Perlen – sind heute so gut wie unbekannt. Doch ist heute vielleicht, seit der bejubelten römischen Aufführung eines der Zemlinskyschen Hauptwerke, der *Lyrischen Symphonie*, vor einigen Jahren, eher die Chance vorhanden, das Schöne und Bedeutende, das Zemlinsky hinterlassen hat und an dem nicht nur Schönberg, sondern auch Berg, der von Zemlinsky nachhaltig beeinflußt worden ist, niemals irre wurden, für das Gedächtnis der Nachwelt zu retten.

Doch wer war eigentlich Alexander Zemlinsky, der eigentlich Alexander von Zemlinsky hieß?

Alexander Zemlinsky wurde im Jahre 1871 in der Leopoldstadt, dem Wiener Stadtbezirk, der früher das Ghetto einschloß und in welchem daher auch später noch sehr viele Juden wohnten, geboren. Er entstammt einem bürgerlichen Hause; die Herkunft des Adelsprädikats ist unbekannt, ist vielleicht sogar dubios. Der Vater, Versicherungsangestellter oder »Beamter«, wie man sagte, betätigte sich als Journalist und fühlte sich eigenen

Angaben zufolge überhaupt als Schriftsteller. Jedenfalls war, trotz ärmlicher Verhältnisse, genug künstlerischer Sinn vorhanden, um den jungen Alexander, der frühzeitig Neigung und Talent zur Musik zeigte, dreizehnjährig aufs höchst angesehene Konservatorium der Gesellschaft der Musikfreunde zu schicken. Zunächst studierte er im Hauptfach Klavier, später, nach der Abschlußprüfung, Komposition. Seine wichtigsten Lehrer standen Johannes Brahms, der höchsten musikalischen Autorität Wiens, auch persönlich nahe, so sein Klavierlehrer Anton Door (1833–1919) und sein Kontrapunktlehrer Robert Fuchs (1847–1927), der selbst ein angesehener Komponist war und wegen seiner damals allbeliebten, von Schönberg auch später noch geschätzten Orchester-Serenaden in Wien gern der Serenaden-Fuchs genannt wurde. Harmonielehre lernte er bei Franz Krenn (1816–1897), einem aus der kirchenmusikalischen Praxis hervorgegangenen »echten Musiker vom früheren Schlag«, der jedoch als »tüchtig, einsilbig und trocken« beschrieben wird[1], Komposition bei Hans (Johann Nepomuk) Fuchs (1842–1899), dem Direktor des Konservatoriums und in Wien hochangesehenen Kapellmeister. Erzogen wurden die Schüler des Konservatoriums im Geiste der klassischen Tradition, als deren noch lebender Repräsentant Brahms in vieler Hinsicht allen als Idealbild vorschwebte. Zemlinsky wuchs also in eine ganz bestimmte Tradition hinein, eine Tradition, gegen die er, etwa im Gegensatz zu Hugo Wolf, nicht aufbegehrte. Auch besuchte er, etwa im Gegensatz zu Gustav Mahler, regelmäßig den Unterricht. Und so war es kein Wunder, daß er bei seinem Talent Preise gewann. Bei der öffentlichen Abschlußprüfung spielte er 1890 die *Händel-Variationen* von Brahms und gewann als »bester Klavierspieler des Konservatoriums« einen Bösendorfer-Flügel.

Nach dem erfolgreichen Abschluß des Kompositionsunterrichts 1892 mit einer Symphonie in d-Moll – sie wurde ein halbes Jahr später vollständig aufgeführt – wurden die Werke des jungen Zemlinsky von den angesehensten Wiener Kammermusikvereinigungen gespielt. Bei einem der Konzerte des Hellmesberger-Quartetts am 5. März 1896, in dem das ungedruckt gebliebene Streichquintett d-Moll zur Aufführung kam, wurde Zemlinsky Brahms vorgestellt. Daraus ergab sich ein persönlicher Kontakt, der dazu führte, daß Brahms mit Zemlinsky dessen Quintett durchging. Die Werke Zemlinskys fanden auch in der Öffentlichkeit Anerkennung. Sein Trio für Klavier, Klarinette und Violoncello, das später als op. 3 gedruckt wurde, erhielt einen von Brahms angeregten Preis für ein

---

1   Ernst Decsey, *Hugo Wolf*, Bd. 1, Berlin/Leipzig 1903, S. 17f.

Kammermusikwerk mit mindestens einem Blasinstrument; eine weitere Symphonie (in B-Dur, 1896) gewann 1898 den mit tausend Gulden dotierten ersten Preis der »Gesellschaft der Musikfreunde«, und in München wurde in der vom Prinzregenten Luitpold ausgeschriebenen Konkurrenz für die »beste deutsche Oper« Zemlinskys Erstling *Sarema* (nach Rudolf von Gottschalls *Rose vom Libanon*) zusammen mit Ludwig Thuilles *Theuerdank* preisgekrönt und dann auch erfolgreich am 10. Oktober 1897 in der Hofoper aufgeführt (1899 folgte noch eine Inszenierung am Stadttheater in Leipzig). Außerdem erhielt Zemlinsky in Wien auch noch gelegentlich den »Zusnerschen Liederpreis«. Zemlinsky war also in allen wichtigen musikalischen Gattungen der Zeit – Oper, Symphonie, Kammermusik, Lied – erfolgreich tätig. Indessen erhielt er nicht nur Preise, es wurden auch einige Werke gedruckt, darunter vor allem Lieder und Kammermusikwerke. Die Verlagsbeziehungen zu Simrock in Berlin hatte sogar Brahms persönlich vermittelt und bei dieser Gelegenheit nicht nur das preisgekrönte Trio, sondern auch »den Menschen und das Talent« empfohlen[2].

Die Lieder fanden den Beifall der Kritik auch in Deutschland. Der Rezensent der Leipziger *Signale für die musikalische Welt* erkannte in den *Zwölf Liedern* op. 2 (gedruckt 1897) »ein Talent nicht gewöhnlichen Schlages«[3], und die in Stuttgart erscheinende *Neue Musikzeitung* druckte ein Lied mit folgendem Kommentar ab: »Jüngst trat ein hochbegabter Liederkomponist mit seinen Erstlingswerken auf, die im Konzertsaal Aufsehen erregten. Alexander Zemlinsky war es, der nun im Verlage von Wilhelm Hansen als op. 5 einige Liederhefte herausgab. Diesen entnehmen wir für die heutige Musikbeilage ein kurzes, schlichtes, feines Lied, welches ›Tiefe Sehnsucht‹ überschrieben ist. Die Tonsprache der Sehnsucht kann nicht lieblichere und zartere Akzente anschlagen, als es in diesem Gesangsstücke geschieht«[4]. Gerade in dieser Schlichtheit jedoch kündigt sich der Ton der *Maeterlinck-Lieder* op. 13, einem seiner Hauptwerke, und der einiger Spätwerke an.

---

2 Brief an Fritz Simrock vom 31. Dezember 1896. (*Brahms-Briefwechsel*, Bd. 12, 1919, S. 211f.) Der in diesem Brief auch noch genannte Walter Rabl (1875–?) erhielt für sein Quartett E-Dur für Klavier, Klarinette, Geige und Violoncello den ersten Preis, Zemlinsky für das Trio den dritten.

3 *Signale für die Musikalische Welt* 56 (1898), S. 177 (in Nr. 12 vom 8. Februar).

4 *Neue Musik-Zeitung* 20 (1899), S. 23, das Lied nach einem Gedicht von Detlev von Liliencron als Beilage zu Heft 2.

Von diesen frühen Werken, die inhaltlich ganz im Banne von Brahms stehen, hat sich besonders das A-Dur-Streichquartett op. 4 längere Zeit einer bemerkenswerten Beliebtheit erfreut, als ein im Ton beschwingtes, kunstvoll gearbeitetes Werk von großer Klangschönheit. Und in der Tat: es zählt ganz gewiß zu den schönsten Werken der Kammermusikliteratur zwischen Brahms und Reger.

Gehörte Zemlinsky also in seiner Instrumentalmusik und in seinen Liedern zur Brahms-Schule, so folgte er in der Oper dem Vorbild Wagners. Und damit ist auch schon das zentrale musikalische Problem der 1890er Jahre genannt, ein Problem, das an keinem Ort sich mit solcher Dringlichkeit stellen mochte wie gerade in Wien, gab es doch an kaum einem anderen Ort eine so mächtige Brahms-Tradition als in Brahms' unmittelbarer Nähe.

Zemlinsky, der hervorragende Pianist und vielfach ausgezeichnete Komponist, hatte zunächst gewiß nicht die Absicht, Opernkapellmeister zu werden. Er hätte sonst, wie wenige Jahre zuvor Mahler, ein Engagement in der Provinz suchen müssen. Er wollte dies nicht, sondern versuchte vielmehr, sich als Musiker in der Metropole selbst durchzusetzen. Seine in gleicher Weise als Komponist und als Pianist erfolgreiche Wirksamkeit schien die besten Aussichten zu eröffnen. Und als der seit 1897 – Brahms' Todesjahr – in Wien als Hofoperndirektor wirkende Gustav Mahler die nächste Oper des jungen Komponisten, die Märchenoper *Es war einmal...*, zur Aufführung annahm und dann, wie es sich bei ihm von selbst versteht, musterhaft am 22. Januar 1900 herausbrachte und mit dem Werk immerhin zehn Aufführungen erzielte, da schien der Durchbruch gelungen. Aber noch war es nicht soweit.

Zemlinskys Tätigkeitsfeld war nach der Beendigung seiner Studien das des bürgerlichen Musikvereinswesens, in welchem sich die einzelnen Tendenzen der tatsächlichen oder ersehnten musikalischen Entwicklung realisierten. Hier ging es nicht ums Kommerzielle, sondern um künstlerische Angelegenheiten. Die Mitglieder der jeweiligen Vereine waren Gleichgesinnte. Der erste Verein, in welchem Zemlinsky seit 1893 tätig war, der »Wiener Tonkünstlerverein«, war 1884 von den Pianisten Anton Door und Julius Epstein (1832–1926) gegründet worden. Beide Gründer, von denen der eine, wie gesagt, Zemlinskys Lehrer, der andere Lehrer und Förderer Mahlers war, standen Brahms persönlich nahe. Ihr Verein wirkte mit Brahms als Ehrenpräsidenten also ganz in dessen Geist. Die Tätigkeit in diesem Verein, an dessen Veranstaltungen Zemlinsky sowohl als Pianist als auch als Kapellmeister teilnahm – einmal, im März 1895 dirigierte er eine eigene *Suite* und Brahms seine *Akademische Festouvertüre* –, diente ihm zunächst mehr zur Pflege persönlicher Bekanntschaft.

Wichtiger für ihn war der im Jahre 1895 gegründete »Musikalische Verein Polyhymnia«, ein Orchesterverein von jungen, enthusiastischen Dilettanten; denn hier muß er schon im Herbst des Gründungsjahres mit dem jungen, als Cellist im Orchester mitspielenden Bankangestellten Arnold Schönberg bekannt geworden sein. Dieser Verein spielte denn auch in seinem ersten öffentlichen Konzert am 2. März 1896 unter der Leitung Zemlinskys nicht nur dessen Ballade »Waldesgespräch« (nach einem Gedicht von Eichendorff) für Sopranstimme mit Begleitung von Streichorchester, Harfe und zwei Hörnern, sondern auch eine Komposition Schönbergs, nämlich das *Notturno* für Streichorchester und Solovioline, ein bisher unveröffentlichtes, erst jüngst wieder (leider nicht in seiner Originalgestalt) aufgetauchtes Jugendwerk[5]. Danach wurde Schönberg, seiner eigenen Aussage gemäß, Zemlinskys Schüler, ohne daß deshalb angenommen werden müßte, daß so etwas wie geregelter Unterricht stattgefunden hätte. Man vergegenwärtige sich die Situation der beiden jungen Musiker. Zemlinsky, der am Konservatorium ausgebildete erfolgreiche junge Komponist, Pianist und Orchesterleiter des zwar nur kleinen, über Streicherbesetzung kaum hinausgehenden Vereinsorchesters der »Polyhymnia«, vielfach durch Preise ausgezeichnet, von der Gesellschaft also anerkannt; dagegen Schönberg, der Autodidakt, der aus kleinsten Verhältnissen stammend erst einen Weg aus seiner äußerst beengten Lage sucht, der nichts unversucht läßt, um sich Kenntnisse zu verschaffen, der einen leidenschaftlichen Drang erkennen läßt, Erkenntnisse zu gewinnen und sich mitzuteilen. Zemlinsky, im sicheren Besitz von Fertigkeiten und Kenntnissen, bedarf nur noch der einschlägigen Erfahrungen, um seinen Weg, der offen vor ihm liegt, zu machen; Schönberg muß sich erst noch aus der kleinbürgerlichen Sphäre, der er verhaftet ist, emporarbeiten, um sich dann in der neu gefundenen zu orientieren. Dabei war die Unterweisung durch Zemlinsky, sofern davon überhaupt gesprochen werden kann, nicht einmal das Wichtigste, obwohl angenommen werden darf, daß in diesem Unterricht das Beste, was die musikalische Tradition neben dem satztechnischen Vermögen der klassischen Zeit zu bieten hatte, übermittelt wurde, nämlich die verpflichtende Erkenntnis von der Bedeutung und Würde der Tonkunst, die dem, der sich ihr widmet, als moralisch empfundene künstleri-

---

5   Die Anfangstakte der Klavierbearbeitung sind abgedruckt in: *ÖMZ* 29 (1974), S. 281.

sche Pflichten auferlegt. Der wahre Künstler als Priester der Kunstreligion. 1896, das erste Jahr ihrer Beziehungen, war immerhin das Jahr, in welchem Zemlinsky seine B-Dur-Symphonie fertigstellte, das Werk, mit welchem seine klassizistische Schaffensphase, die an Brahms orientiert ist, endete. Auch das Schönbergsche D-Dur-Quartett von 1897, das schon im folgenden Jahr durch das sich auch für Zemlinsky einsetzende Fitzner-Quartett erfolgreich aufgeführt wurde, gehört ganz in diese Tradition, die damals hauptsächlich von Dvořák weitergeführt wurde. Dieses frühe Quartett Schönbergs wurde auf Zemlinskys Rat umgearbeitet: ein ganzer Satz wurde verworfen und durch einen neu komponierten ersetzt. Daraus läßt sich ersehen, wie stark Schönberg Zemlinsky damals als Autorität anerkannte. Leider ist der verworfene Satz nicht erhalten, so daß nicht mehr auszumachen ist, warum er seinerzeit verworfen wurde. Die Frage, ob dieser Satz einfach mißlungen war oder ob er sich durch Zemlinsky bedenklich scheinende Kühnheiten ausgezeichnet hat, erscheint angesichts der späteren belegbaren Ratschläge nicht unberechtigt.

Zemlinsky half jedoch Schönberg nicht nur im Musikalischen weiter, sondern auch im Gesellschaftlichen. Er führte ihn in das gesellige Leben der Künstler ein. Das geistige Leben Wiens spielte sich damals vornehmlich in Kaffeehäusern ab. Jede Partei, jeder Verein, jede Gruppe Gleichgesinnter hatte ihr Kaffeehaus. Besonders beliebt waren damals das Café Griensteidl, über dessen Zerstörung Karl Kraus seine erste große Satire geschrieben hat (*Die demolierte Literatur*, 1897), und das Café Landtmann, das Café Museum, in welchen sich die Wagnerianer und die Modernen, die Naturalisten u.ä. trafen. In diese Zirkel, in welchen der schon erfolgreiche Zemlinsky bekannt war, führte er Schönberg ein, der hier dann mit Dichtern, Publizisten, Malern, Musikern bekannt wurde, aber vor allem auch mit der Form der Kunstdebatten, wie sie für derartige Cafés charakteristisch war. Alle in Wien lebenden Persönlichkeiten hatten ihr Café, es war dies die Form der bürgerlichen Öffentlichkeit, wo alle Probleme diskutiert, die Geschäfte getätigt, alle Freundschaften und Feindschaften beschlossen und besiegelt werden. Namen zu nennen ist hier müßig. Nur der eine, der diese Kultur als Ganze repräsentiert, muß hier genannt werden: Peter Altenberg, der Dichter, der Bohemien, Feuilletonist, Lebenskünstler, Frauenkenner, Lebensreformer, von dem später Alban Berg einige Ansichtskartentexte unvergleichlich komponierte und so skandalträchtige Lieder schuf.

Das, was die beiden jungen Künstler in diesen Cafés erlebten, war nicht nur persönlicher Umgang und erste Erfahrung mit Repräsentanten der Moderne – das Schlagwort, in Berlin aufgekommen, wurde von Hermann Bahr in Wien propagiert –, sondern auch die Erkenntnis von Modernität. Diese war kein musikalisches Spezialproblem. Die Grenzen der einzelnen Künste wurden vielmehr absichtsvoll überschritten. Gesucht wurde das allen Künsten Gemeinsame und das, was »zwischen den Künsten« – so der Titel einer programmatischen Schrift von Oscar Bie, dem Herausgeber einer der damals führenden Zeitschriften, der *Neuen Deutschen Rundschau* – liegt. Es waren also künstlerische Erfahrungen, die in gewisser Weise sowohl über das Akademische als auch über das Bürgerlich-Vereinsmäßige hinausgingen.

Die bestehenden Vereine waren freilich wenig geneigt, aus dem gewohnten Geleise abzubiegen, um diese grundsätzlich neuen Erfahrungen fruchtbar werden zu lassen. Zwar wurde Zemlinsky 1899 Vizepräsident des »Tonkünstlervereins«, Schönberg, der 1898 eingetreten war, Vorstandsmitglied, so daß es im März 1899 zur Uraufführung der preisgekrönten B-Dur-Symphonie Zemlinskys kommen konnte; als jedoch eine Aufführung der Schönbergschen *Verklärten Nacht* nicht durchzusetzen war, schieden beide, Zemlinsky und Schönberg, bereits im folgenden Jahr, 1900, aus dem Verein aus.

Die Erfahrung der Moderne fand sowohl, wie in einer gänzlich von Wagner geprägten Zeit auch nicht anders zu erwarten ist, auf dem Gebiet der Oper als auch im Bereich der Liedkomposition ihren Niederschlag. Ganz zweifellos wird hierin auch eine Wirkung der Kunst Hugo Wolfs, der in Wien damals schon eine kleine Gemeinde hatte, erkennbar. Zunächst war es jedoch die Lyrik von Richard Dehmel, deren Modernität freilich weniger in der Form als in der vom Dichter gewählten Stoffwelt zu suchen ist. Vor allem wirkte der hohe moralische Anspruch, der Anspruch, der auf Aufhebung der Konvention zugunsten natürlicher Beziehungen zielt, offenbar besonders auf Schönberg, der stets ein Moralist war. Und so vertonten beide, Zemlinsky und Schönberg, aus Dehmels Sammlung *Weib und Welt* (1897), die damals großes Aufsehen erregte, mehrere Gedichte, jedoch nicht nur als Lieder, sondern auch als programmatische Instrumentalwerke: Schönberg sein später so berühmtes Sextett *Verklärte Nacht* op. 4 und Zemlinsky seine *Fantasien über Gedichte von Richard Dehmel für Pianoforte* op. 9[6]. Daneben wurden auch Gedichte anderer damals moder-

---

6   Das künstlerisch gestaltete Titelblatt, auf dem der Name des (in Operettenkreisen unbekannten) Dichters Dehmel mit dem des gerade in diesen Kreisen

ner Dichter vertont, so mehrere von Jens Peter Jacobsen, die gerade in einer deutschen Übersetzung erschienen waren, und vor allem das berühmte Gedicht »Die Beiden« von Hugo von Hofmannsthal. Das letzte Jahr des alten Jahrhunderts, 1900, brachte viel Entscheidendes für Zemlinsky. Gustav Mahler, der von Zemlinsky glühend verehrte Hofoperndirektor, führte im Januar dessen neue Märchenoper auf, die sowohl beim Publikum als auch bei der Presse Anklang fand. Aber trotz des einhelligen Erfolges hat sich das Werk nicht behauptet. Wie groß dieser Erfolg und die allgemeine Anerkennung waren, ersieht man indes nicht nur aus den überaus günstigen Kritiken, unter welchen die von Richard Heuberger, dem bekannten Komponisten und neben Hanslick zweiten Kritiker aus der *Neuen Freien Presse*, hervorragt[7], sondern auch an Hanslicks Feuilleton[8], in welchem es heißt:»Publikum und Kritik haben die Vorzüge dieser Novität so beifällig begrüßt, daß es ihr nicht schaden kann, wenn nachträglich auch ihrer Schattenseiten erwähnt wird.« Diese Schattenseiten lassen sich in einem von Hanslick zitierten Ausruf zusammenfassen:»Muß denn immer gewagnert sein?« Aber auch der alte Hanslick ist wohlgesonnen und spricht anerkennend von der »überaus geschickten, ja brillanten Technik«. Zemlinskys Brillanz erregt sogar Bedenken. So schreibt etwa der Zemlinsky gewogene Kritiker A. Friedmann:»Dieser Anfänger scheint die Erfahrung eines Aufhörers zu besitzen und hat erschrecklich viel gelernt. Weil er Dramatiker ist in jedem Takte seiner Partitur, (...) deshalb glauben wir an seine Zukunft und erwarten – nicht daß er zulerne, sondern daß er vergesse – um alsdann die deutsche Oper (...) mit wertvollen und bleibenden Gaben zu bereichern«[9].

Die erste dieser bleibenden Gaben erschien ein Jahrzehnt später, 1910: die komische Oper *Kleider machen Leute*, nach Gottfried Kellers bekannter Novelle. Aber da war dann die Kritik, wenigstens die lokale Wiener –

---

wohlbekannten Hofzuckerbäckers Demel verwechselt erscheint, ist abgedruckt in: *100 Jahre Musikverlag Doblinger*, Wien 1976, S. 32.

7 Richard Heubergers Kritik findet sich in der Kritikensammlung »*Im Foyer*«, *Gesammelte Essays über das Opernrepertoire der Gegenwart*, Leipzig 1901, S. 286–295.

8 Eduard Hanslick: »*Es war einmal*«. *Gelegentliches über Zemlinsky und Richard Strauss*, in: ders., *Aus neuer und neuester Zeit*, Berlin 1900, S. 44–50.

9 A. Fr(iedmann).: *Eine neue Oper von Al. Zemlinsky*, in: *Neue Musik-Zeitung* 21 (1900), S. 39.

die übrigens stets ein Kapitel für sich bildet –, nicht mehr wohlwollend... Noch war es aber nicht soweit.

Die im Jahre 1900 von Mahler aufgeführte Oper steht noch im Gefolge Wagners, ganz wie die ein Jahr früher aufgeführte B-Dur-Symphonie im Banne von Brahms stand. Der Dirigent jedoch, der, wie der genannte Kritiker Friedmann gelegentlich schrieb,»Mahler ›übermahlert‹«[10], steht schon im Banne Mahlers. Zemlinsky, der sich auch als Lehrer einen Namen gemacht hatte – so unterrichtete er u.a. ein bildschönes junges Mädchen aus besten Künstlerkreisen, Alma Schindler, die spätere Gattin Mahlers –, mußte sich nun doch bequemen, eine Kapellmeisterstelle anzunehmen. So kam er ans Carl-Theater. Hier an diesem Operettentheater hatte er indessen nicht nur zu dirigieren, er mußte auch für Partituren sorgen, die eine Aufführung ermöglichten. Daneben fertigte er noch für den neugegründeten Verlag Universal-Edition zahlreiche Klavierauszüge[11]. Auf ähnliche Weise sorgte auch Schönberg damals fürs Notwendige – er instrumentierte Operetten –, und im Jahre 1901 nahm er ein ähnliches von Zemlinsky vermitteltes Kapellmeisterengagement in Berlin an, wohin er im Dezember, nachdem er Zemlinskys Schwester Mathilde geehelicht hatte, übersiedelte. Doch bereits im Sommer kehrt Schönberg nach Wien zurück, und so war es möglich, die gemeinsame Arbeit fortzusetzen. Zemlinsky hatte mittlerweile eine Ballettmusik nach Hofmannsthals *Triumph der Zeit* komponiert, aber Mahler, der erklärte Ballettfeind, stand dem Unternehmen ablehnend gegenüber, und so kam es lediglich zu einer konzertanten Aufführung der Musik.

Bedeutsam wurde jetzt abermals, unter mittlerweile freilich sehr gewandelten Verhältnissen, die Tätigkeit der nach Anerkennung strebenden Komponisten in künstlerischen Vereinen. Für die jüngste Moderne wirkte in Wien insbesondere der»Ansorge-Verein«, ein»Verein für moderne Kultur«, der sich nach dem damals auch, als Komponist geschätzten Liszt-Schüler Conrad Ansorge (1862–1930) nannte und der zunächst vornehmlich dessen Liedkunst propagierte. Ansorge, der in Berlin lebte und dem

---

10 A. Fr(iedmann) in der *Neuen Musik-Zeitung* 21 (1900), S. 261.
11 Von den folgenden Werken hat Zemlinsky Auszüge für Klavier zu vier Händen hergestellt: *Fidelio* (U.E. 690), *Zauberflöte* (U.E. 708), *Die lustigen Weiber von Windsor* (U.E. 709), *Die Schöpfung* (U.E. 785), *Die Jahreszeiten* (U.E. 786), *Elias* (U.E. 861), *Paulus* (U.E. 872), *Das Paradies und die Peri* (U.E. 921); dazu kommen folgende Auszüge für Klavier zu zwei Händen: *Zar und Zimmermann* (U.E. 757) und *Der Waffenschmied* (U.E. 768).

Kreis um die moderne Kunstzeitschrift *Pan* des Verlegers Fritz Cassirer, dem auch Busoni nahestand, angehörte, ließ zuerst die modernen Gedichte rezitieren und im Anschluß daran erst deren Komposition vortragen. Dabei kamen die verschiedensten Dichter und Komponisten zu Gehör, darunter auch Zemlinsky, der bei den Vortragsabenden vielfach auch als Pianist mitwirkte, und Schönberg. Da jedoch bei den Veranstaltungen dieses Vereins, der sich bald in »Verein für Kunst und Kultur« umbenannte, auf der Musik nicht gerade das Hauptgewicht lag und dieser auch keine Möglichkeit zur Aufführung größerer Werke bot, waren die jungen Komponisten darauf bedacht, sich ein neues, eigenes Forum zu schaffen. Dies war die von Zemlinsky und Schönberg inaugurierte »Vereinigung schaffender Tonkünstler in Wien«, deren Ziel es war, neue Werke, die die Komponisten einsenden sollten, aufzuführen. Als Ehrenpräsidenten konnten Mahler, Reger und Strauss gewonnen werden, aber der Verein, der eine so vielversprechende Tätigkeit zu entfalten begonnen hatte, existierte nur eine Saison. Das wichtigste der von der Vereinigung veranstalteten Konzerte war das »Zweite Orchesterkonzert« am 25. Januar 1905[12], welches die Uraufführung der lange Zeit verschollenen Orchesterphantasie *Die Seejungfrau*[13] von Zemlinsky brachte und von Schönberg die symphonische Dichtung *Pelleas und Melisande* nach dem Drama von Maurice Maeterlinck. Alma Mahler, Zemlinskys frühere Schülerin, notierte am folgenden Tag in ihr Tagebuch:

»26. Jänner. Gestern Konzert: Zemlinsky-Schönberg. Meine Ahnung bestätigte sich. Zemlinsky ist trotz vieler kleiner reizender Einfälle und seines ungeheuren Könnens doch nicht so stark wie Schönberg, der zwar ein verworrener, aber doch hochinteressanter Kerl ist. Die Leute gingen scharenweise weg und schlugen die Türen zu, während der Musik. Viele Pfiffe – aber sein Talent war überzeugend für uns beide.«[14]

Tatsächlich war Schönbergs in Berlin 1902 entstandene symphonische Dichtung, deren Verständnis Zemlinsky wegen der unerhörten Kompli-

---

12 Plakate zweier Konzerte, faksimiliert in: *ÖMZ* 29 (1974), S. 300, 302 im Rahmen eines Artikels von Walter Pass, *Schönberg und die »Vereinigung schaffender Tonkünstler in Wien«*.

13 Das Werk wurde später aufgefunden resp. identifiziert. Die erste Wiederaufführung fand am 11. November 1984 in Wien, geleitet von Peter Gülke, statt.

14 Alma Mahler, *Gustav Mahler: Erinnerungen und Briefe*, 2. Aufl., Amsterdam 1949, S. 100.

ziertheit der Struktur schwerfiel, später Gegenstand der Bewunderung des ehemaligen Lehrers, der sich gerade für dieses Werk immer wieder eingesetzt hat. Die sich abzeichnende Auseinanderentwicklung der Freunde tat der Zusammenarbeit jedoch zunächst keinen Abbruch. Noch Jahre später haben sie gemeinsam gearbeitet. So hatte Zemlinsky im überaus erfolgreichen Schönberg-Liederabend am 26. Januar 1907 den Klavierpart übernommen, und im gleichen Jahr haben beide Freunde zur Teilnahme an einem Preisausschreiben für Balladenkompositionen dieselben Gedichte vertont und eingereicht (»Der verlorene Haufen« von Viktor Klemperer und »Jane Grey« von Heinrich Ammann)[15]. Selbstverständlich bekam keiner von beiden den Preis.

In jenen Jahren hatte sich – worüber Alma Mahler in ihrem Mahler-Buch drastisch berichtet – ein lebhafter Verkehr zwischen dem Mahler vergötternden Zemlinsky, dem verehrungsvollen, jedoch heftig opponierenden Schönberg und dem allmächtigen Hofoperndirektor entwickelt. Dieser führte dazu, daß Zemlinsky so etwas wie Mahlers Faktotum wurde, das ihn auf Reisen begleitete, in den Ferien besuchte und einen Klavierauszug der Sechsten Symphonie fertigte. 1904 war Zemlinsky Kapellmeister an der neugegründeten Volksoper geworden, von wo ihn Mahler 1907 an die Hofoper holte. Da jedoch Mahler kurz danach demissionierte, und der Nachfolger Felix von Weingartner die von Mahler zur Uraufführung angenommene Oper *Der Traumgörge*, die bereits einstudiert war, absetzte, ging Zemlinsky zurück an die Volksoper, wo er bis zu seinem Weggang aus Wien 1911 tätig war. Zemlinskys Tätigkeit an der Volksoper bedürfte einmal gesonderter Untersuchung. Immerhin konnten an diesem Theater Werke, deren Aufführung sich aus verschiedenen Gründen für ein Hoftheater nicht empfahl, wie etwa Strauss' *Salome*, eher geboten werden, so daß dieses Opernhaus nicht nur das kleinere, sondern auch das moderne Genre pflegen konnte.

Die Aufführung der Oper *Ariane et Barbe-bleue* von Paul Dukas (1865–1935) nach dem Drama Maeterlincks am 2. April 1908 – ein heute ebenfalls seltsam vernachlässigtes Werk – erlangte besondere Bedeutung, wurde sie doch vor Debussys *Pelléas et Mélisande* in Wien (und überhaupt an einer deutschen Bühne) aufgeführt. Ihre Wirkung auf die jüngeren Komponisten, vor allem Franz Schreker, der damals korrepetierte, ist nicht

---

15 Vgl. Horst Weber, *Schönbergs und Zemlinskys Vertonung der Ballade »Jane Gray«* ..., in: Internat. Musicol. Soc., *Report of the 11th Congress Copenhagen 1972*, Kopenhagen o.J., S. 705–714.

zu unterschätzen. Den Höhepunkt für Zemlinsky bedeutet selbstverständlich die erste Aufführung seiner eigenen vierten Oper, der musikalischen Komödie *Kleider machen Leute*, die vom Publikum begeistert aufgenommen wurde. Aber auch die Kritik – sieht man von Lokalintriganten ab – hat das Werk in seiner Bedeutung für die damals so aktuelle Bemühung um eine neue deutsche komische Oper gerecht gewürdigt, allen voran der mächtige Julius Korngold[16], sowie Richard Specht, Rudolf Stephan Hoffmann[17] und Robert Konta. Konta (1880–1953), selbst Komponist, schrieb u.a.:

»Die Musik der Oper ›Kleider machen Leute‹ wird für Zemlinsky neuerdings Freunde werben, sie wird zahlreiche Widersacher bekehren. Der Komponist vertieft sich in das Seelenleben jeder Figur (...) Ein anderer Komponist hätte vielleicht den Humor und Mummenschanz des Librettos mit vielen musikalischen Reißern (...) gesteigert. Zemlinsky aber wahrt einen gewissen Aristokratismus im Lächeln, eine durchaus vornehme Heiterkeit«

usf. und prognostiziert die baldige Popularität einiger Lieder.[18]

Zemlinskys Beziehungen zu Schönberg waren in dieser Zeit etwas getrübt, wohl wegen der damals viel Aufsehen erregenden Affäre Mathildes mit dem bedeutenden Maler Richard Gerstl, die durch dessen Freitod ein tragisches Ende fand. Es war dies auch gerade jene Zeit, in welcher Schönberg Wege ging, die ihn seinem ehemaligen Lehrer und Freunde auch musikalisch entfremdeten. Schönberg hatte im Jahre 1909 mehrere konsequent auf die Mittel der Tonalität verzichtende Werke geschrieben und in seiner Harmonielehre dann die Erkenntnis von der Tonalität als einem bloßen Kunstmittel (und nicht einem natürlichen Fundament) kompositorischer Gestaltung vorgetragen.

Zemlinskys Weg als Komponist jedoch wurde seit etwa der Jahrhundertwende mehr und mehr durch Mahlers Werk und allmählich zunehmend auch von Schönbergs früheren, noch tonalen Kompositionen bestimmt. In den letzten Werken seiner Wiener Zeit hat sich dann aber, ungeachtet eini-

---

16 Julius Korngold, *Das deutsche Opernschaffen der Gegenwart*, Leipzig–Wien 1921, S. 240–247.

17 Specht und Hoffmann schrieben in der österreichischen Musik- und Theaterzeitschrift *Der Merker* 2 (1910/11), S. 193–197, 213f., Specht auch in der *Musik* 10 (1910/11), S. 49f.

18 Robert Konta, in: *Wort und Ton: Zeitschrift für Musik und Literatur* 1 (Wien 1910/11), Heft 2 vom 1. Januar 1911, S. 14–16.

ger Anklänge, doch ein ganz eigenes Zemlinskysches Idiom gebildet, vor allem in den *Liedern nach Gedichten von Maurice Maeterlinck* op. 13, deren Originalität kaum geringer ist als die bei der auffälligen Schlichtheit so erstaunliche, außerordentliche Ausdrucksfülle. Es ist in diesen Liedern, deren rezitierend-lyrischer Ton auf Späteres vorausweist, Zemlinsky etwas gelungen, was aus der Tonkunst unseres Jahrhunderts nicht wegzudenken ist und das von Komponisten wie Alban Berg und Anton Webern sehr geliebt wurde. Daneben entstand auch der *23. Psalm* für Chor und Orchester op. 14, der von Franz Schreker, dem Leiter des von ihm gegründeten Philharmonischen Chores, in Wien sogleich aufgeführt wurde.

Aber trotz aller Erfolge als Kapellmeister und auch als Komponist: Zemlinsky hat in Wien keine führende Stellung erringen können. Die Mittel der Volksoper waren eben beschränkt, und neben der Hofoper war es eben doch nur das in weitem Abstand folgende zweite Haus. So schien es nur zu verständlich, daß er 1911 lieber in der zweiten Stadt Österreichs, in Prag, eine erste Stelle (am Deutschen Landestheater) einnehmen wollte.

In Prag befand sich Zemlinsky in einer ähnlichen Lage wie seinerzeit Mahler in Wien, er war hauptsächlich Kapellmeister. Als solcher erneuerte er das Repertoire – vor allem Mozart, Wagner und die ältere deutsche Oper. Er pflegte aber auch die tschechische Oper, die er öfters in Aufführungen herausbrachte, die denen am weit größeren Nationaltheater überlegen waren.

Als Konzertdirigent setzte sich Zemlinsky natürlich insbesondere für Mahler ein, dessen monumentales Hauptwerk, die Achte Symphonie, er so bald wie überhaupt möglich aufführte. Und wenn, was nicht zweifelhaft sein kann, Mahler erheblichen Einfluß auf die Weiterentwicklung der tschechischen Musik gewinnen konnte, so ist das nicht zum geringsten ein Verdienst Zemlinskys.

Aber auch für Schönberg setzte er sich nach Kräften ein. Bereits in seinem ersten Jahr lud er ihn ein, ein Konzert mit seiner symphonischen Dichtung *Pelleas und Melisande* zu dirigieren – Schönberg hat über diesen Aufenthalt im Jahre 1912 ein sehr interessantes, neuerdings auch veröffentlichtes Tagebuch geschrieben[19] –, und später hat er ihm sein wohl bedeutendstes Kammermusikwerk, sein Zweites Streichquartett op. 15, gewidmet. Schönberg, der darin den ihm willkommenen Versuch sah, die Freundschaft in ihrer alten Form zu erneuern, war tief gerührt. Er hat sogar

---

19 Arnold Schönberg, *Berliner Tagebuch*, hg. von Josef Rufer, Berlin 1974.

begonnen, von dem Werk eine Bearbeitung für Klavier zu vier Händen herzustellen.

Während der Prager Zeit befand sich Zemlinsky nicht nur äußerlich, sondern auch als Komponist im Zenit. Er schuf neben dem bereits erwähnten zweiten Quartett seine beiden Opern nach Oscar Wilde, *Eine Florentinische Tragödie* und *Der Zwerg* sowie die monumentale *Lyrische Symphonie*. Aber Zemlinsky war ein Mensch, der das Glück nicht zwingen konnte. Bei der Veröffentlichung der *Maeterlinck-Lieder* mußte – man schrieb 1914 – der Name des Dichters entfallen, die *Florentinische Tragödie* konnte lange nicht aufgeführt werden, weil ihr Autor ein Engländer war, und mit dem Manuskript der *Lyrischen Symphonie* erlebte Zemlinsky insofern Kummer, als es längere Zeit auf dem Postweg verloren schien, bis es sich dann doch wieder überraschend einfand.

Zur *Florentinischen Tragödie*, orchestertechnisch gewiß Zemlinskys Meisterwerk, erschien damals (1917) eine einführende Broschüre des Kritikers der Prager *Bohemia*, Felix Adler, die seltsamerweise in der Zemlinsky-Literatur nicht beachtet wird. Verstört hat die Kritiker – und offenbar nicht nur sie – schon die Wildesche Dichtung, deren Abgründigkeit ihnen als bloße Raffinesse erschien. Tatsächlich geht, wie es in einer ernsthaften Kritik heißt,»eine die Sinne berückende Fülle von dieser Musik aus«, in welcher auch»Kräfte des Ausdruckes« stecken,»die uns unmittelbar anziehen und ergreifen«.[20]

Die *Florentinische Tragödie*, die bald nach ihrer Uraufführung in Stuttgart unter Max von Schillings am 30. Januar 1917 auch in Prag herauskam, war erfolgreich, aber das Werk geriet doch als nicht abendfüllender Einakter in den Schatten der großen Erfolge dieser Jahre, Pfitzners *Palestrina* und Schrekers *Die Gezeichneten*, deren Dichtung auf eine Anregung Zemlinskys zurückgeht und welche ursprünglich auch für diesen bestimmt war. Die Zemlinskysche Idee der»Tragödie des häßlichen Menschen« suchte dieser dann in seinem nächsten Bühnenwerk, dem tragischen Märchen *Der Zwerg*, zu gestalten. Aber auch dieses Werk ist nicht abendfüllend und hat es infolgedessen schwer. Immerhin wäre es möglich, die beiden Wilde-Opern an einem Abend miteinander zu verbinden: Die *Florentinische Tragödie*, die Auseinandersetzung zweier Männer in einer imaginären florentinischen Renaissancewelt; *Der Zwerg*, das zeremoniell-infantile Spiel von Weibern in einer ebenso imaginären spanischen Rokoko-Welt.

---

20 Willibald Nagel, in: *Neue Musik-Zeitung* 38 (1917), S. 157f.

Der Zwerg, der bei seiner Uraufführung unter Otto Klemperer in Köln am 28. Mai 1922 mit dem Strawinskyschen *Petruschka* gekoppelt war, hatte den üblichen für den Komponisten ziemlich folgenlosen Erfolg. Wenig später brachte Zemlinsky selbst in Prag die Neufassung seiner musikalischen Komödie *Kleider machen Leute* heraus, über die der vielleicht verständnisvollste Prager Kritiker, der später im Konzentrationslager umgekommene Erich Steinhard (1886–1944), schrieb, daß dieser »turbulente Erfolg auch in Deutschland Aufmerksamkeit erregen« sollte[21]. Im selben Jahr wurde in Prag – nach dem Vorbild Wiens – ein »Verein für musikalische Privataufführungen« gegründet, der für authentische Aufführungen von Werken Schönbergs sorgte. Aber 1922 war keine gute Zeit. Prag war nun seit wenigen Jahren die Hauptstadt eines kleinen Vielvölkerstaates, und die alte deutsche Kultur, die zu einem erheblichen Teil von Juden getragen wurde, sah sich in einer schwierigen Lage. Zemlinskys Wirken – es wurde unterstützt durch den Schönbergschüler Heinrich Jalowetz – wurde zwar auch stets von berufener tschechischer Seite anerkannt, aber alles, was geschah, blieb mehr oder weniger folgenlos, vielleicht mit der einen Ausnahme des Festes der »Internationalen Gesellschaft für Neue Musik« 1924 in Prag, in dessen Verlauf die von allen Berufenen bewunderte Uraufführung von Schönbergs mittlerweile schon 15 Jahre altem Monodram *Erwartung* unter Zemlinskys Leitung stattfand. Im allgemeinen ging von Prag keine Ausstrahlung in die überwiegend deutschsprachigen Gebiete aus. Dazu lag diese Stadt für damalige Verhältnisse einfach zu weit ab. Zemlinskys Wirken spielte sich auf diese Weise in der Isolation ab. So war es kein Wunder, daß er trotz aller Anerkennung, die er fand, wieder in eine Metropole strebte. Und als ihm Klemperer eine Kapellmeisterstelle an der zweiten Staatsoper in Berlin, der Kroll-Oper[22] anbot, nahm Zemlinsky 1927 dieses Angebot an, nicht nur aus alter Verbundenheit mit Klemperer, sondern gewiß auch in der Hoffnung, in Berlin, der damals wohl wichtigsten Musikstadt Europas, im Sinne Mahlers, dem sich auch Klemperer tief verpflichtet fühlte und nach dessen Vorbild und Leitsätzen die Kroll-Oper geführt wurde, wirken zu können.

---

21 Erich Steinhard, in: *Neue Musik-Zeitung* 43 (1922), S. 294.

22 Über die Kroll-Oper liegt jetzt eine umfassende Dokumentation vor: Hans Curjel, *Experiment Krolloper 1927–1931*, aus dem Nachlaß von Eigel Kruttge, München 1975, darin u.a. auch Schönbergs Zemlinsky-Aufsatz von 1921 (S. 109f.).

Aber die Zeiten hatten sich geändert. Die Kunst galt den jüngeren Komponisten nicht mehr als etwas so sehr Wichtiges, und das Publikum suchte eher die modischen Sensationen als eindringende Versenkung. Zemlinsky konnte sich an dem neuen Institut, dessen Tage übrigens gezählt waren, nicht so recht durchsetzen – obgleich er viel bewunderte Aufführungen, so etwa von Smetanas damals in Deutschland noch unbekannter Oper *Der Kuß* und Schönbergs *Erwartung*, herausbrachte. Die jüngeren Kollegen in Berlin hatten eine andere Art zu musizieren, und so fühlte er sich wohl nicht recht verstanden. Dazu kam sicher auch das einem alten Österreicher fremd anmutende kulturelle Klima der Stadt mit seiner Hektik, und so legte er vorzeitig seine Stellung nieder, um sich nach fünfundzwanzigjähriger Theaterarbeit ganz der Komposition zu widmen. Er lehrte an der Musikhochschule in Charlottenburg und dirigierte noch gastweise, übernahm auch nach seiner Rückübersiedlung nach Wien 1933 die Leitung eines kleinen Orchesters, das 1931 von Hermann Scherchen gegründet worden war. Schließlich emigrierte der Sechsundsechzigjährige noch nach den Vereinigten Staaten von Nordamerika, wo er sich nicht mehr einleben konnte und nach wenigen Jahren vereinsamt und von der Öffentlichkeit vergessen im März des Jahres 1942 verstarb.

Mit seinem letzten vollendeten musikalischen Bühnenwerk, der Vertonung des Klabundschen *Kreidekreis*, hatte er am 14. Oktober 1933 in Zürich, trotz einer Umbesetzung in letzter Minute, einen sehr großen Erfolg, der dazu führte, daß sich zahlreiche deutsche Bühnen um das Werk bemühten und Aufführungen planten. Daß es dann aus den bekannten politischen Gründen doch nicht mehr dazu kommen sollte, gehört mit zur besonderen Tragik dieses Künstlerlebens.

Das kompositorische Werk[23], das Alexander Zemlinsky hinterlassen hat, gliedert sich zwanglos in drei Perioden. Die erste reicht etwa bis zum ge-

---

23 Allem Anschein nach hat Zemlinsky anfänglich, etwa bis zu seiner Übersiedlung nach Prag 1911, die Opuszahlen nach dem Datum der Veröffentlichung festgelegt. Die zu druckenden Werke erhielten in der Reihenfolge ihrer Publikation die entsprechende Opuszahl. Insofern spiegelt die Zahlenfolge tatsächlich eine, wenn auch keine komplette Chronologie. Vermutlich bekam deshalb die preisgekrönte Oper *Sarema* keine Opuszahl; sie wurde nämlich erst zu einem Zeitpunkt gedruckt (1899), als durch die Opuszahlen, die noch verfügbar waren, die Vorstellung einer falschen Chronologie suggeriert worden wäre. Die Folge der Opuszahlen von 1 bis 10 dokumentiert die richtige Entstehungs-

druckten op. 10, die zweite bis zur *Lyrischen Symphonie*. Freilich ist nicht zu verkennen, daß sich bereits im *Zwerg* eine gewisse Abwendung vom Ausdrucksideal ankündigt, die dann im Dritten Quartett vollzogen wird. Die dritte Periode ist bisher noch am wenigsten greifbar. Steht die erste im Zeichen von Brahms, so zeigt die zweite den Komponisten als modernen Ausdrucksmusiker, der starke Impulse von Mahler, Strauss und Schönberg empfangen hat. Mahler war natürlich auch als Komponist Zemlinskys großes Vorbild. Strauss scheint kaum direkt auf Zemlinskys Schaffen eingewirkt zu haben, eher vermittelt durch einige Werke des jungen Schönberg. Vielleicht erschien aber den Freunden Schönberg und Zemlinsky in dieser Zeit Strauss im selben Licht.

Gerade einige der bedeutendsten Werke Zemlinskys, das Zweite Quartett und die *Lyrische Symphonie*, sind nicht nur ohne Mahler, sondern auch ohne Schönberg nicht zu denken; andere, wie die *Maeterlinck-Lieder*, haben mit Schönberg nichts zu tun. Im Zweiten Quartett etwa, das alle Sätze des Zyklus in einen einzigen riesenhaften Satz zusammenschmilzt – nach dem Vorbild der frühen Schönbergschen Kammermusik, vor allem dem des Ersten Quartetts d-Moll op. 7 –, herrscht auf weite Strecken Doppeltonalität, wie etwa bei Mahler, aber zugleich dichte thematische Arbeit, wie bei Schönberg. Und die Anklänge an das Sextett *Verklärte Nacht*, Schönbergs berühmtestes Frühwerk, sind unüberhörbar. Vielleicht sind sie absichtsvoll in das schwierige und reiche Werk hineinverwoben, denn seinerzeit, im Sommer des Jahres 1899, entstand gerade dieses Werk im Zeichen der tiefen Freundschaft, an die jetzt zu erinnern Zemlinsky für gut befand, da er doch die durch allerlei Wechselfälle des Lebens getrübte

---

folge, desgleichen die von 13 bis 20. Aus diesem Grund möchte ich, ohne die Manuskripte oder die Druckvorlagen zu kennen, annehmen, daß die Oper *Der Traumgörge* als op. 11, die musikalische Komödie *Kleider machen Leute* (erste Fassung) als op. 12 und die Oper *Der Kreidekreis* als op. 21 zu gelten haben.

Spätestens nach op. 19, wahrscheinlich schon nach op. 13, hat Zemlinsky sein Verfahren geändert. Er hat sämtliche Werke, die zur Veröffentlichung bestimmt waren, gezählt. Er hatte seit dem Beginn seiner Tätigkeit in Prag als professioneller Kapellmeister, wie Mahler in Wien, zum Komponieren nurmehr die Nebenstunden und die Ferien. So erklärt sich die Zählung der *Symphonischen Gesänge* als op. 20, der *Sechs Lieder* als op. 22. Und wahrscheinlich sollte die Oper *Kandaules* (nach André Gide) die Opuszahl 26 erhalten. Die letzte bekannte Zahl ist op. 27. Es sind zwölf (inzwischen veröffentlichte) Lieder.

Beziehung neu zu beleben suchte. Zemlinsky widmete darum dieses Quartett Schönberg, ein Quartett, das als ganz selbständige Leistung neben Schönbergs und Regers d-Moll-Quartetten steht und mit diesen zusammen (und etwa auch Bartóks Erstem Quartett) die Gruppe der Monumentalquartette bildet, als deren Vorbote vielleicht Wolfs Jugendquartett, ebenfalls in d-Moll, gelten darf. Zemlinskys Tonsprache zeichnet sich gerade in diesem Werk durch außerordentliche Flexibilität aus. Die einzelnen Themen verfestigen sich kaum je zu in sich geschlossenen Perioden oder Sätzen; im Gegenteil, derartige Bildungen werden absichtsvoll vermieden. Wo – nach traditionellen Vorstellungen – ein Schluß erwartet wird, gibt es einen Übergang und einen neuen Anfang. Nicht umsonst fand Alban Berg eine gewisse Verwandtschaft zwischen der Tonsprache gerade dieses Quartetts und seinem eigenen op. 3: in der Offenheit der thematischen Gestalten, die im Gegensatz zur Schönbergschen Geschlossenheit steht, berühren sich Berg und Zemlinsky[24]. Es war also nur die Bestätigung einer schon lange gefühlten Wahlverwandtschaft, als Berg ein Jahrzehnt später in seine *Lyrische Suite* einen zentralen musikalischen Gedanken aus Zemlinskys *Lyrischer Symphonie* hineinverwob und ihm das Werk als Zeichen der Verbundenheit widmete. Die *Lyrische Suite* ist absichtsvoll das Gegenstück zur *Lyrischen Symphonie*.

Aus der ersten Periode Zemlinskys dürfte vor allem die Kammermusik, das Klavier-Klarinetten-Trio op. 3 und das A-Dur-Quartett op. 4, heute noch eine Chance haben, daneben wohl auch einige Lieder. Diese fallen gegenüber den Opern keineswegs, wie etwa beim frühen Schreker, ab, im Gegenteil, es findet sich darunter so manches Lied, das in seiner Zeit und Umgebung wohl bestehen kann. Das ist bei einem Komponisten, dessen eines Hauptwerk ein Liederzyklus ist, die *Maeterlinck-Lieder* op. 13, nicht verwunderlich[25]. Diesen Liedern gebührt in der schlichteren Klavierfassung sogar der Vorzug, obwohl auch die Orchesterfassung ihre Eigenwerte

---

24 Alban Berg an Anton Webern brieflich im Juni 1919: »Die [Musiker des Feist-Quartetts] haben das Zemlinsky Quartett [op. 15] derart gespielt, daß ich für meines, das mir in mancher Hinsicht dem verwandt dünkt ...«, nach: *Schönberg–Berg–Webern, Die Streichquartette. Eine Dokumentation*, hg. von Ursula von Rauchhaupt, Hamburg–München 1971, S. 86.

25 Vgl. Horst Weber, *Zemlinskys Maeterlinck-Lieder*, in: *AfMw* 29 (1972), S. 182–202 (Analyse des Liedes »Die drei Schwestern«).

besitzt. Die Lieder der Spätzeit sind bis heute ungedruckt und daher noch gänzlich unbekannt[26].

Die Qualitäten der Lieder sind nicht unabhängig von der Opernmusik, in welcher gelegentlich Lieder – vor allem in *Kleider machen Leute* – eine erhebliche Rolle spielen. Wahrscheinlich war eine Komische Oper dieses Anspruchs damals ohne Liedeinlagen gar nicht vorstellbar. Von der wohl erst nachträglich in die Oper eingefügten Zemlinskyschen Vertonung des Heineschen Liedes »Lehn Deine Wang an meine Wang« – auch Schumann hat dieses Gedicht komponiert – meinte einst ein Kritiker, es müsse bald populär werden. Diese Prognose war nur als solche falsch, nicht das ihr zugrundeliegende Qualitätsurteil, denn das Lied, das als Dokument doppelten Spiels jedenfalls denkwürdig bleibt, hätte eine solche Popularität verdient (Beispiel 1).

Nettchen singt, teils verliebt tuend, teils wirklich verliebt, für sich ein Liebeslied. Das Zitieren eines Gefühls während der Simulation desselben Gefühls, das mitwirkt, daß es ein echtes wird: das ist schon eine besondere Leistung Zemlinskys; jedenfalls eine, die auch dem achtenswert sein müßte, der das musikalische Material als etwas veraltet, oder, zeitgemäßer ausgedrückt, für nicht dem historischen Stand der Entwicklung entsprechend ansieht. Ein solcher Kritiker sollte jedoch bedenken, daß das Werk sowohl vor der Wende zur Atonalität (1909) als auch vor dem *Rosenkavalier* (1911) geschaffen wurde. Es erlebte bereits 1910 seine ersten Aufführungen!

Die beiden ersten Opern *Sarema* und *Es war einmal...* bieten heute kaum mehr als geschichtliches Interesse, während mit dem *Traumgörge* doch wohl ein ernster Versuch gemacht werden sollte. War es doch immerhin Mahler, der das Stück angenommen hatte![27]

Aus der zweiten Periode erscheint beinahe alles in seiner Art bedeutend, allem voran die *Maeterlinck-Lieder*, das Zweite Quartett, die *Lyrische Symphonie* und die drei Opern: die abendfüllende musikalische Komödie *Kleider machen Leute*, der einstündige Einakter *Eine Florentinische Tragödie*, das knappe tragische Märchen *Der Zwerg*. – Hier ist noch einmal ernstlich die Frage zu stellen: warum sollte es nicht möglich sein, den *Zwerg* und die *Florentinische Tragödie* an einem Abend in dieser Reihenfolge hintereinander zu spielen? Bei menschenwürdiger Aufführung, die

---

26 [Viele der späten Lieder sind seitdem im Druck erschienen.]
27 [Die Uraufführung fand, veranlaßt von Wulf Konold, am 11. Oktober 1980 in Nürnberg statt.]

Beispiel 1: Zemlinsky, »Leg deine Wang an meine Wang«, nach einem Gedicht von Heinrich Heine; aus der Oper *Kleider machen Leute*, erste (Wiener) Fassung, zweiter Aufzug, Klavierauszug, Verlag Bote & Bock, Berlin 1910, Seite 149.c–149.e.

freilich die Intentionen des Komponisten zu achten und nichts durch allerlei Regiefaxen zu verfremden, d.h. hier zu verderben hätte, müßte sich ein Erfolg erzielen lassen. Von den Bühnenwerken erscheinen mindestens diese drei lebensfähig. Eine Schwierigkeit für den Hörer wird freilich nicht übersehen werden dürfen. Sie entsteht durch das ebenso seltsame wie auffällige Moment der Täuschung, des Trugs, das alle diese Stücke beherrscht. Nicht nur der Schneidergeselle Strapinski findet sich in der fatalen Lage, ein anderer sein zu müssen als er ist, wobei ihm die Fatalität natürlich auch Vorteile bringt und mithin Vergnügen bereitet, sondern auch, objektiv, das vielbegehrte Bürgertöchterchen Nettchen. Sie, die sich schließlich den Grafen angeln will, muß Liebe spielen, beginnt wohl freilich auch bald, richtig zu lieben, hat dann aber, nach der Demaskierung des vermeintlichen Grafen, nicht mehr genügend Möglichkeit, ihre wahre Liebe, die jetzt dem Mann, nicht mehr dem Grafen gilt, zu zeigen. Ja, es bleibt ungewiß, ob diese Liebe wirklich ganz echt ist oder ob sie nicht doch nur eine Folge der neuerlichen Fatalität ist, die sich fraglos einstellte, ginge sie ohne Bräutigam aus der ganzen Affäre hervor.

Ganz ähnlich ist es in der *Florentinischen Tragödie*, sicher dem dramatisch Stärksten aus Zemlinskys Hand. Der Kaufmann Simone erwürgt den adeligen Nebenbuhler, weil dieser frech mit ihm spielt und ihn zu erniedrigen trachtet. Ob das Umschwenken der Gattin Bianca zu ihrem Mann – nach dem Mord am Prinzen – nur aus Angst vor dem eigenen Tod folgt oder aus Einsicht in dessen bisher verkannte Männlichkeit, ist unklar, wahrscheinlich ist beides und noch mehreres andere zutreffend. Der Schluß bleibt jedoch eine unerwartete Pointe. Sie erweist alles Vorangehende als trügerisch, vor allem die Gefühle, die doch, vor allem von der Musik, als echte dargestellt worden waren! So ist es dann auch ganz sicher kein Zufall, daß das Liebesthema, das den Prinzen und Bianca verband, zum Schluß der überraschenderweise stürmischen Vereinigung von Bianca und Simone, der Eheleute, gilt.

Selbstverständlich ist das ganze Drama als eine Studie über das Gefühlsleben des Gatten Simone aufzufassen. Bei einer Aufführung wäre also zu zeigen, wie sich Simone aus seiner Lage befreit, wie aus einem unterwürfigen Bürger, der gereizt wird, der die Reizung lange übersehen hat und der ganzen Affäre einen günstigen Ausgang geben will, wie dieser Bürger sich zu einem Helden entwickelt, d.h. zu einer Person, die das dem Bürger gesetzte Maß überschreitet. Die Musik ist von unvergleichlicher farbenprächtiger Schönheit; aber sie bedarf, um richtig aufgefaßt werden zu können, wie alle die Hauptwerke Zemlinskys, der Vorbereitung. Man muß wissen, daß das lange Vorspiel zu dieser Oper die verlorene Eingangsszene – die Liebesszene zwischen Bianca und dem Prinzen – ersetzen soll, also keine bloße Ouvertüre ist. Die Musik erzählt so selbständig, wie etwa die des großen Zwischenspiels im ersten Teil der Schönbergschen *Gurre-Lieder* (vor dem letzten Gesang, dem der Waldtaube), wo der Tod der Geliebten geschildert wird. In der *Florentinischen Tragödie* beginnt die »Handlung« bereits vor dem Aufgehen des Vorhangs.

Von ganz entscheidender Bedeutung ist das Moment des Trugs im *Zwerg* (nach Wildes Märchen *Der Geburtstag der Infantin*), einer anderen Version von *Kleider machen Leute*, oder besser, dem Gegenbeweis dieses Sinnspruchs. Es ist, wie Alban Berg nach einer Probe seiner Frau schreibt, »fast nicht zum Aushalten«[28], Zeuge dieses Trugs zu sein. Es ist eben nur dann, dann aber sehr gut auszuhalten, wenn der Hörer auf alle Ereignisse gut vorbereitet ist, die unmittelbare Faszination durch die Vorgänge also einer freieren Einstellung, die ein Genießen der, wie Berg schreibt, »herrlichen Musik« mit ihrer »unendlich süßen und überströmenden Melodik« bei »großer Polyphonie« ermöglicht, gewichen ist. Aber es bleibt auch hier, daß die geäußerten Gefühle teilweise innerlich unwahr sind: sie werden nur im doppelten Sinne des Wortes gespielt. Es ist ein stetiges Gegeneinander von wahren und unwahren, bloß gespielten Gefühlen, wobei die bloß gespielten bisweilen in echte umschlagen, oder doch wenigstens vermutet werden muß, daß sie es tun. Aber gerade in der Musik dieses »tragischen Märchens« gibt es Momente größter Beredsamkeit, wärmsten, innigsten Ausdrucks. Das Geständnis Ghitas, der Lieblingszofe der kalten infantilen Infantin, was sie täte, wenn sie Infantin wäre – sie bekennt: »die Menschen mit meiner Liebe beglücken, die freudlos und häßlich sind« –, gehört zu jenen Stellen, welche Zemlinsky unvergeßlich prägt (Beispiel 2). Das ist genau der Ton, der später erst wieder von Alban Berg in seiner Oper *Lulu* eingeholt wurde. »Das erinnert an vergangene Zeiten«.

Einen Höhepunkt in Zemlinskys Schaffen bildet schließlich die *Lyrische Symphonie* für Sopran- und Baritonstimme mit Orchester op. 18[29], in welcher sich die auch dem Mahlerschen *Lied von der Erde* zugrundeliegende Idee einer aus orchesterbegleiteten Gesängen bestehenden Symphonie realisiert. Die einzelnen Gesänge dieser Symphonie (nach lyrischen

28 Alban Berg, *Briefe an seine Frau*, München–Wien 1965, S. 526.
29 Vgl. Paul Fiebig, *Zu Alexander Zemlinskys »Lyrischer Symphonie«*, in: *NZfM* 134 (1973), S. 147–152.

Beispiel 2: Zemlinsky, einige Takte aus der ersten Szene der Oper *Der Zwerg*, Klavierauszug, Verlag Universal Edition, Wien 1921, Seite 9.

Prosatexten von Rabindranath Tagore) sind freilich weit weniger selbständig als die des Mahlerschen Werkes. Im Gegensatz zum *Lied von der Erde* besteht zwischen den einzelnen Teilen der *Lyrischen Symphonie* ein direkter, auch inhaltlicher Zusammenhang. Zemlinsky hat nämlich die Texte aus dem erstmalig 1918 in deutscher Sprache erschienenen Gedichtband *Der Gärtner* so ausgewählt, daß sich die Erzählung einer Handlung, die der Entfaltung einer reinen Liebe, ergibt. Die einzelnen Stationen erscheinen, wie im ersten Teil von Schönbergs *Gurre-Liedern*, von beiden Seiten gesehen: vom ungeduldig begehrenden Jüngling, vom hingabebereiten Mädchen. So folgen aufeinander: Sehnsucht, Erwartung, Erfüllug, Befreiung, Abschied.

Gleich der erste Gesang, ein sich im Ausdruck mächtig steigernder langsamer Satz, zeigt Zemlinsky auf der vollen Höhe. Die noch ganz unbestimmte Erwartung:

> Ich bin friedlos,
> ich bin durstig nach fernen Dingen.
> Meine Seele schweift in Sehnsucht,
> den Saum der dunklen Weite zu berühren.
> O großes Jenseits,
> o ungestümes Rufen deiner Flöte.

Dieses ungestüme Rufen bildet eine Art Refrain. Danach immer wieder das Eingedenken an die Realität, die Resignation:

> Ich vergesse immer,
> daß ich keine Schwingen zum Fliegen habe...

Das Rufen der Flöte und das Vergessen der Schranken, die die Realität setzt, darüber hinaus der Wunsch, diese Realität durch Intensität des Gefühls, durch Innigkeit zu überwinden:

> O fernstes Ende,
> o ungestümes Rufen deiner Flöte.

Das zweite Lied – es ist für Sopran – zeigt die Erwartung in einer Art und Weise, wie sie sonst kaum anzutreffen ist. Der Prinz wird am Fenster vorbeiziehen, ihrer nicht achten, aber gleichwohl strömt ihm unermeßliche Liebe und Verehrung der Unbekannten entgegen. Hoffnungsvolle Liebe, die eben durch diese Hoffnungslosigkeit nicht beeinträchtigt, sondern eher gesteigert wird:

> Ich weiß wohl,
> er wird nicht ein einziges Mal
> zu meinem Fenster aufblicken,
> ich weiß,
> im Nu wird er mir aus den Augen sein;
> nur das verhallende Flötenspiel
> wird seufzend zu mir dringen
> von weitem.

Und später, als der Prinz vorbeigekommen war:

> Ich strich den Schleier aus meinem Gesicht,
> riß die Rubinenkette von meinem Hals
> und warf sie ihm in den Weg.
> (...)
>
> Ich weiß wohl,
> daß er meine Kette nicht aufhob.
> Ich weiß,
> sie ward unter den Rädern zermalmt
> und ließ eine rote Spur im Staube zurück.
> Und niemand weiß,
> was mein Geschenk war
> und wer es gab.

Das Glück dessen, der ohne Hoffnung rückhaltlos ergeben lieben kann, dem es genügt, eine rote Spur im Staub zu hinterlassen, diesem Gefühl hat Zemlinsky unvergeßliche Töne geliehen. Durch Musik scheint er mit dem Philosophen, der ihr Entscheidendes verdankt, Theodor W. Adorno[30], zu sagen: vielleicht liebt doch einzig der, der ohne Hoffnung liebt.

Das dritte Lied, wie das erste wieder eines für Bariton, bringt den Übergang aus der Welt der Vorstellung in die reale. Der bei jeder Wiederholung mit gesteigertem Ausdruck vorgetragene Refrain »Du bist mein Eigen, mein Eigen«, ein musikalischer Gedanke von größter Schlichtheit und Eindringlichkeit, ist das einzige, was aus diesem Werk allgemeiner bekannt ist, und zwar durch das Zitat Alban Bergs in dessen zweitem Streichquartett, das nach der *Lyrischen Symphonie* Zemlinskys *Lyrische Suite* heißt. Mit diesem Gesang ist der erste musikalische Höhepunkt des Werkes, jedenfalls der Zenit der Handlung, wenn man so sagen darf, erreicht.

Der vierte Gesang – Gipfel des Werkes – ist Bekundung des Glücks (Beispiel 3). In ungezwungener, durch weite Intervalle gekennzeichneter freier prosahafter Melodik – dem absoluten Gegenteil der chansonhaften Melodik der *Maeterlinck-Lieder* – löst sich die Singstimme in die instrumentale auf: »Ich will mein Haar lösen«. Es ist, als ob die Musik von

---

30 Theodor W. Adornos Radio-Essay über Zemlinsky, ein Gelegenheitswerk, findet sich in: *Quasi una fantasia, Musikalische Schriften II*, Frankfurt a. M. 1963, S. 155–180.

Beispiel 3: Zemlinsky, *Lyrische Symphonie*, aus dem vierten Gesang, Partitur, Verlag Universal Edition, Wien 1926, Seite 101.

Schönbergs *Erwartung*, der sie musikalisch so viel verdankt, ins Gegenteil verkehrt worden wäre. Was folgt, ist Befreiung und Abschied. Vielleicht ist es für den Spätgeborenen charakteristisch, daß schließlich der Nachklang, die Erinnerung, das Eingedenken wichtiger und gewichtiger erscheint als die Erfüllung, aber das gilt wohl für beinahe alle große Musik seit Isoldes Verklärung. Ist es nicht ebenso bei den *Gurre-Liedern*? Und erinnert nicht das Glück des Mädchens an das der kleinen Tove? Im Schlußgesang der *Lyrischen Symphonie* heißt es:

> Steh still,
> o wundervolles Ende,
> für einen Augenblick
> und sage deine letzten Worte
> in Schweigen.
> Ich neige mich vor dir,
> ich halte meine Lampe in die Höhe,
> um dir auf deinen Weg zu leuchten.

Vergangen waren die Zeiten, da, nach Nietzsches Wort, die Lust Ewigkeit verlangte, jetzt verlangt sie der Augenblick des Abschieds, zwar nicht den resignierten Mahlers, sondern den erfüllten Abschied auf der Höhe des Lebens.

Es ist kein Zweifel, Alexander Zemlinskys *Lyrische Symphonie* nach Gedichten von Rabindranath Tagore ist ein romantisches Werk. Gleich den *Gurre-Liedern*, gleich dem *Lied von der Erde* gehört es zu den Werken, die nicht unabhängig von den darin zur Sprache kommenden großen traditionellen Inhalten sind. Adel der Gesinnung und Reinheit der Gefühle zeigen noch jene Welt der Idealität, an der teilzuhaben einen moralischen Anspruch voraussetzte, an jeden einzelnen den Anspruch der Läuterung und der Veredelung stellte. Diese Welt ist – vielleicht – eine von gestern.

Neben den großen Werken der mittleren Zeit tritt alles andere zurück. Für ein Werk wie den zehnminütigen *23. Psalm* op. 14 nach Luthers Verdeutschung (»Der Herr ist meine Hirte...«) gibt es heute offenbar keinen Platz im Konzertleben, so wenig wie für Schumanns späte Balladen, Brahms' Chor-Oden oder Wolfs und Regers Chorgesänge. Eine spätere Psalmkomposition, die vielleicht etwas breit geratene des *13. Psalms* op. 24,»Herr, wie lange willst du mein so gar vergessen?« (ebenfalls nach Luthers Text), beeindruckt durch gewaltige Steigerungen. Im *23. Psalm* werden die einzelnen Abschnitte durch Wiederholung von Versen zu relativ geschlossenen Partien ausgestaltet und das Ganze dann durch kontrapunktische Verknüpfung der Themen und unmittelbaren Anschluß an den Anfang in den letzten Takten auch formal abgeschlossen. Das durch eine zarte Poesie ausgezeichnete Werk bringt in das Œuvre Zemlinskys eine ganz eigenartige Note, die zu der der benachbarten *Maeterlinck-Lieder* merkwürdig kontrastiert.

Aus der Spätzeit dürfte gewiß das Vierte Streichquartett – eigentlich eine Quartett-Suite – Interesse finden, ebenso wie auch das Dritte, das zur letzten Schaffensphase überleitet. Beide Werke erheben nicht mehr den großen Anspruch des Zweiten Quartetts, sondern kehren zu der mehr spielerischen Haltung, nicht jedoch zur Tonsprache des Ersten zurück.

Die musiktheatralische Version des Klabundschen *Kreidekreis* brachte dann endlich – trotz einiger widriger Umstände bei der Zürcher Uraufführung – dem zweiundsechzigjährigen Komponisten den so heiß ersehnten großen äußeren Opernerfolg. Er konnte sich jedoch aus politischen Gründen nicht mehr realisieren. Zemlinsky wurde wiederum, wie schon mehrfach, besonders kraß bei Mahlers Demission 1907, ein Opfer von Umständen, die er nicht zu verantworten hatte.

Zemlinsky war jedoch nicht nur Komponist, sondern auch – und für viele seiner Zeitgenossen vor allem – Kapellmeister, oder, wie heute gesagt wird, Dirigent. Eine Würdigung seiner Leistung als Interpret ist heute schwierig, da wir, die Nachgeborenen, auf relativ wenige Zeugnisse, noch dazu meist solche aus zweiter Hand, angewiesen sind. Welchen Enthusiasmus Zemlinskys Interpretationskunst weckte, vermag vielleicht ein Bericht des schon einmal genannten Kritikers Erich Steinhard, der aus einer Zeit vor der Dirigentenmode, dem Kriegsjahr 1917, stammt, zu erweisen:

»Ein Gefühlsmusiker allerersten Ranges. Der genialste Orchesterdirigent. Seit sieben Jahren am Neuen Deutschen Theater. Ein Musiker, der mit seiner Phantasie in die extremsten stilistischen Eigenarten der einzelnen Individualitäten eindringt, und dann aus der Überfülle seines Temperamentes, mit einem Impetus ohnegleichen die Musik gestaltet, mehr produktiv als reproduktiv. Der durch seine rhythmische Kunst die Elemente der dichtesten Polyphonie klarlegt. Der durch seine Orchesterdynamik eine bewundernswerte Tonfülle des leise singenden Orchesters bis in die zartesten gehauchten verschwebenden Klänge gewinnt, der mit feinen dynamischen Schattierungen und einem dynamischen Aufbau im Großen seltene Formschönheit erreicht, der Freude hat an impressionistischen Farben, doch ohne die Prägnanz der Linie zu berühren. Im Gegenteil: zur Verfeinerung der Form, zur Belebung des Inhalts gebraucht er sie. Über diese primären Grundlagen ist aber ein weltenumspannendes Gefühl gebreitet. Und ein die Musik aufwühlendes, die Musik schöpferisch immer neu gestaltendes

Temperament, eine über Berge tragende Phantasie und eine Leidenschaft sondergleichen kennzeichnen das Wesen seines Musizierens.«[31]

Steinhard, der »der Darstellungskunst dieses Gottbegnadeten gerecht« werden möchte, hat tatsächlich noch im gleichen Jahr ausführlich über Zemlinskys Interpretationskunst geschrieben[32]. Eine systematische Suche in Zeitungen und Zeitschriften könnte gewiß weitere Berichte verfügbar machen.

Glücklicherweise haben sich auch einige wenige Schallplatten erhalten, deren sachkundige Interpretation dem Sammler und Erforscher alter Platten Helmuth Haack zu danken ist. Aus seinem Vortrag *Zemlinsky als Dirigent* sei hier an Stelle einer Nacherzählung zitiert. Von Zemlinskys Aufnahme der *Moldau* von Smetana schreibt Haack:

»Ich wüßte keine andere Interpretation dieses Stückes, die so voller Poesie wäre. Auch wüßte ich bei diesem Stück am wenigsten genau anzugeben, wie diese Wirkung zustandekommt. Besonders gilt dies für den 3. Satz (...) mit dem Titel ›Mondschein, Nymphenreigen‹. Das ist nicht im landläufigen Sinne dirigiert, denn es muß (...) schlechthin unmöglich gewesen sein, solches rhythmisches Schweben anders zu realisieren als auf dem Wege über gemeinsames Hören. Ganz sicher ist das wesentliche Kunstmittel die Hauptstimmenverzögerung – die rhythmische Unabhängigkeit der Oberstimme der Violinen von dem quirlenden Orchesterhintergrund – hier fällt die interpretatorische Geste zusammen mit einer plastischen ›Tonmalerei‹. Außerdem kommen aber zwei Elemente hinzu: die großräumige Phrasierung der Melodie, die gegen die kürzeren Einheiten der Begleitung gesetzt wird (vgl. auch die einmalige Delikatesse, mit der Zemlinsky die Hörner als drittes Element einführt) und die minimalen feinen Tempomodifikationen an den Übergängen. Zemlinsky hat seinen Musikern, auf welche Weise auch immer, seine musikalische Vorstellung vermittelt – und in einem Akt des Einverständnisses, der jedenfalls nicht durch motorische Dirigentenbewegungen irritiert worden ist, konnte diese Interpretation entstehen.«[33]

Die musizierenden Künstler »nicht durch motorische Dirigierbewegungen behindert«, überhaupt nicht durch den Dirigenten behindert, sondern zur Realisation einer musikalischen Vorstellung angehalten: das war das Ideal musikalischer Reproduktion, wie es allen Musikern der Wiener Schule vorschwebte. Zemlinsky hat es in einem Bereich, in welchem er Meister

---

31 Erich Steinhard, in: *Neue Musik-Zeitung* 38 (1917), S. 353.
32 Erich Steinhard, *Alexander von Zemlinsky*, in: *Der Merker* 8 (1917), S. 713–716.
33 Helmuth Haack, *Zemlinsky als Dirigent*, Vortragsmanuskript aus dem Jahre 1974, ungedruckt.

war, verwirklicht. Kein Wunder, daß gerade die Prager Mozart-Aufführungen als unvergleichlich gerühmt wurden.

Aber nicht nur als ausübender Musiker gehört Zemlinsky zur Wiener Schule, sondern auch als Komponist. Nicht etwa nur wegen der nahen Beziehung einiger einzelner Werke und der Tonsprache insgesamt zu Alban Berg, sondern vor allem, weil er ein weites Gebiet, welches Schönberg in stürmischem Voranschreiten erschlossen, aber nicht bebaut hatte, kultivierte, das der erweiterten Tonalität. Wenn Berg gelegentlich von der Tonsprache der Schönbergschen *Kammersymphonie* sagte, daß »sie genug für eine ganze Generation biete«[34], so war es eben Zemlinsky, der hieraus produktiv Konsequenzen gezogen hat.

Zemlinsky war der Lehrer des Begründers und geistigen Zentrums der Wiener Schule, dem er die Tradition, auf die dieser später so großen Wert legte, in freundschaftlicher Unterweisung vermittelt hatte. Bald schon lernte der einstige Lehrer, manches mit den Augen seines ehemaligen Schülers zu sehen, vor allem sah er ungenutzte Möglichkeiten, die jener eröffnet hat. Und auch hier hat er, indem er sie nutzte, Tradition schaffen helfen, Tradition, ohne die gar nichts, auch nicht das Neue, bestehen kann. Er hat geholfen, das in kühnem Zugriff Eroberte abzusichern, und hat dabei vieles an Musiker einer jüngeren Generation, die nicht seine Schüler waren, weitergegeben. Berg und Webern haben, wahrlich nicht ohne Grund, einige der Werke Zemlinskys geliebt.

---

34 Alban Berg an Schönberg am 8. Oktober 1914, zitiert nach: Ernst Hilmar (Hg.), *Arnold Schönberg, Gedenkausstellung 1974*, Wien 1974, S. 192.

Arnold Schönberg

Arnold Schönberg, der große deutsche Komponist jüdischer Herkunft, wurde im Jahre 1874 in Wien geboren, er starb im Jahre 1951 in Los Angeles. Wenn an dem Wort von Sigmund Freud von 1937, gemünzt auf den von ihm als Renegat, als Konkurrent empfundenen Individualpsychologen Alfred Adler:»Für einen Judenbub aus einer Wiener Vorstadt ist ein Tod in Aberdeen schon an sich eine unerhörte Karriere und ein Beweis dafür, wie weit er es gebracht hat« etwas Wahres ist – und daran ist, trotz der darin zum Ausdruck kommenden Infamie, kein Zweifel –, dann hat es Schönberg, der einen noch weiteren Weg bis zu seinem Sterbeort zurücklegen mußte, noch weiter gebracht. Tatsächlich hat er es so weit gebracht, wie man es als Komponist und Künstler, der seine Aufgabe ganz ernst nimmt und von der hohen Bedeutung dieser Aufgabe aufs tiefste durchdrungen ist, überhaupt nur bringen kann. Er wurde zu einem großen Komponisten.

Er wurde in der Leopoldstadt, dem zweiten Wiener Stadtbezirk, der früher einmal das Ghetto beherbergte und auch noch im vorigen Jahrhundert ein Judenviertel war, geboren. Am 13. September, also einem 13., was er immer als Unglück empfunden hat, denn er war über die Maßen abergläubisch und mied die Zahl 13, wo er nur konnte (und ersetzte sie durch die Zahl 12a). Er ging dabei so weit, daß er dem Namen der biblischen Gestalt Aaron einen Buchstaben wegnahm, nur damit der Titel seiner großen Oper, sicher eines seiner Hauptwerke und überhaupt ein Werk von höchstem Bedeutungsanspruch, *Moses und Aron*, nicht 13 Buchstaben zähle. Er ist auch an einem 13., dem 13. Juli 1951, gestorben, buchstäblich in letzter Minute, als er schon vermeinte, den Unglückstag glücklich überstanden zu haben.

Schönbergs Aberglaube ist übrigens etwas sehr Ernstes. Es ist der Ausdruck einer Mentalität, für die schlechterdings nichts, aber auch gar nichts ohne Bedeutung sein konnte. Alles wurde von ihm als bedeutungsvoll empfunden. Er konnte nichts leicht nehmen oder als gleichgültig betrachten. Er war ein durch und durch ernster, höchste Ansprüche stellender moralischer und tief religiöser Mensch. Kunst und Religion waren die Grundlagen seiner Existenz, Moralität sein Ziel. Und dazu war er Künstler von reichster Inspiration. Er stammte jedoch aus kleinen Verhältnissen, und so hatte er es schwer, das, was er zu erreichen trachtete, tatsächlich zu erreichen. Und als zusätzliche Erschwerung kam seine jüdische Abstammung hinzu.

Wie gesagt, er stammte aus kleinbürgerlichem Milieu. Sein Vater, zugewandert aus Preßburg, betrieb ein kleines Geschäft, die Mutter, aus einer bekannten jüdischen Prager Familie stammend, widmete ihr Leben der Familie. Im Hause Schönberg wurde weder die musikalische Begabung Arnolds, die sich früh zeigte, gefördert, noch fand nennenswertes religiöses Leben statt. Für eine intellektuelle, künstlerische oder religiöse Bildung waren die Voraussetzungen denkbar ungünstig. Und so bekannte er sich siebzehnjährig als »ungläubig«. Es war wohl ein Glück, daß Arnold ein ausgesprochenes Talent zum Autodidakten hatte und dazu einen unersättlichen Bildungshunger (bei größter Energie und unablässigem Fleiß). So konnte er mit vollem Recht von sich sagen: »Ich habe immer nur das gekonnt, was mir entsprochen hat; das aber unbedingt, sofort und fast übergangslos, ohne Vorbereitung. Dagegen hat mir das, was andere können, das, was die sogenannte ›Bildung‹ ausmacht, immer Schwierigkeiten gemacht. Ich habe es auch erlernt. Aber erst später... Meist, da es erworben und nicht bloß erlernt war, weit besser, als es die Andern konnten. Ich kann und konnte nie so lernen wie Andere. Einiges konnte ich immer von selbst. Ohne jede Anleitung. Anderes hätte mir kein Lehrer der Welt beigebracht.«

Aber selbstverständlich fanden sich doch, wenn auch nicht etwa richtige Lehrer, so doch Freunde, die, wahrscheinlich ohne es zu bemerken, dem Streben des Kindes, des Jünglings und schließlich des jungen Mannes Richtung wiesen. Schönberg hat sie selbst genannt: Oscar Adler, David Josef Bach und Alexander von Zemlinsky, alle drei übrigens Juden. Adler, ein Jahr jünger als Schönberg – er sollte ihn um vier Jahre als angesehener Astrolog überleben –, wies ihm erste Wege ins Reich der Tonkunst (und auch der Musiktheorie), David Bach, noch ein Jahr jünger, auch früh musikalisch gebildet (und später Musikredakteur der *Wiener Arbeiterzeitung*), hatte, wie Schönberg selbst hervorhob, großen Einfluß auf die Entwicklung seines Charakters. Schönberg nahm sogar an, daß Bach es war, der seinem Charakter »die ethische und moralische Kraft zu verleihen vermochte, die seinen Widerstand gegen Gewöhnlichkeit und Allerweltsvolkstümlichkeit begründen konnte«.

Der drei Jahre ältere Alexander von Zemlinsky, vortrefflich am Konservatorium ausgebildeter, vielfach preisgekrönter Musiker, der sogar die Aufmerksamkeit des alten Johannes Brahms erregen konnte, war Schönbergs musikalischer Mentor in den entscheidenden Jahren, als Schönberg etwa zwanzig Jahre alt war. Zemlinsky gab ihm jedoch nicht nur praktische Winke, er wurde für ihn auf Jahre hinaus zur musikalischen Autorität. Schließlich – und das war vielleicht noch wichtiger – führte er ihn in die Wiener Künstlerkreise ein, eröffnete er ihm die Welt der Künstler, Literaten und Intellektuellen, in welchen die aktuellen und anregenden Gespräche geführt wurden. Er wies dem jungen Mann den Weg ins Kunstleben seiner Zeit, der Zeit der Moderne.

Die Bewegungen der Moderne der Zeit um die Jahrhundertwende waren Protestbewegungen, in welchen Juden – assimiliert, wie sich versteht – herausragende Bedeutung zukam. Diese Bewegungen waren antitraditionalistisch – also gegen jenen Historismus, der in der Ringstraßenarchitektur seinen deutlichen und für jedermann sichtbaren Ausdruck gefunden hatte, sie waren antimaterialistisch und zugleich antikapitalistisch. Hermann Bahr, ein Literat mit dem Sinn fürs Aktuelle, hatte schon bald nach 1890 verkündet, daß auch für die Kunst »Wahrheit« Vorrang vor »Schönheit« haben müsse. Überall gewannen Ideen an Boden (und vor allem Ausdruck in Kunstwerken), die einer als seiend angenommenen und der Erforschung bedürftigen Metarealität Vorrang vor der bloßen Realität zuerkannten. Aller Sensualismus, der in jener Zeit sich bereits unüberbietbar verfeinert hatte, wurde überboten durch die sich ausbreitende Vorstellung des Panpsychismus, des Allbeseelungsgedankens, der letzten Endes die Differenz von belebter und unbelebter Natur aufhebt und dessen Konsequenz Allbelebung ist. Viele Bestrebungen dieser Art mündeten schließlich in einen Panerotismus, der die gesteigerte Sensibilität zugleich erklärte und rechtfertigte. Die großen Werke des jungen Schönberg, vom Sextett *Verklärte Nacht* nach Richard Dehmels Gedicht über die *Gurre-Lieder* nach Jens Peter Jacobsen bis hin zur symphonischen Dichtung *Pelleas und Melisande* nach Maeterlincks Drama (auf das ihn Richard Strauss verwiesen hatte), bezeugen diese Geisteshaltung, in der sich Sensualismus und Naturmystik zu einem zarten und doch wirkungsvollen Symbolismus eigentümlich mischen. Die übers Persönliche hinausweisenden Aspekte, die Einbindung ins Kosmische, das dem Persönlichen wiederum erhöhte Bedeutung gibt, gewähren dem Gestaltungs- und Geltungsdrang des Künstlers Befriedigung, ohne daß diese als bloß subjektive in Erscheinung treten müßten.

Musikalisch bedeutete dies für Schönberg die Möglichkeit, alle Differenzierungen im Bereich des Klanges (der Klangfarbe), des Harmonischen und des Thematischen (als Träger des Gedanklichen, also auch der Logik) zu legitimieren. Aber es war insbesondere Schönbergs Wunsch, gerade dieses Gedankliche mehr und mehr zu verdichten und von allen bloß dekorativen Elementen zu befreien, die musikalische Sprache zu reinigen. Alles, was die Klarheit des Gedankens trübte, und sei es durch Verschönerung, sollte als nicht nur überflüssig, sondern als trügerisch ausgemerzt werden: Verdichtung, Verkürzung bis hin zum Verstummen, also an die Grenze der Kunst; musikalisch war die Konsequenz die Aufhebung des Gegensatzes von Konsonanz und Dissonanz. Das Neue, das sich, wie Schönberg selbst sagt, zuerst bei der Komposition von Naturbildern ergab, war die Konsequenz davon, daß die Natur als in all ihren Elementen beseelt angesehen wurde. Leben, Liebe und Tod waren die großen Themen der Kunst, Erlösung von der »Einzelheit«, wie Schönberg selbst sagen sollte, also der Vereinzelung, das Ziel.

Das Aufgehen im All, das Erreichen der Vollendung nach wiederholten Erdenleben, Erlebnisse nach dem Tod, Träume und Visionen: das war der Inhalt der Schönbergschen Kompositionen, nicht etwa nur begrifflich-inhaltlich, sondern auch musikalisch, bildhaft, dramatisch. Alle Dimensionen des Gesamtkunstwerks gingen aus einer einzigen Vorstellung hervor, einer Idee oder, wie Schönberg sagte, aus einem Gedanken. Die Projekte waren riesengroß, wohl überhaupt unrealisierbar. Vollendet wurden nur die beiden als expressionistisch geltenden kurzen musikalischen Bühnenwerke, von denen insbesondere *Die glückliche Hand*, ein Zwanzigminutenstück, dem Ideal am nächsten kommt, zugleich aber auch die tiefe Problematik derartiger Gesamtkunstwerke erkennen läßt. Realisiert hat sich diese neue Art der Weltanschauungsmusik auch in dem am Beginn dieser Phase stehenden zweiten Streichquartett mit der Komposition zweier Gedichte Stefan Georges, der »Litanei« und der »Entrückung«, einem Elevationsgedicht reinster Ausprägung: »Ich löse mich in Tönen, kreisend, webend,/ ungründigen Danks und unbenamten Lobes/ dem großen Atem wunschlos mich ergebend«.

Der hohe Stil, die Ferne von der Trivialität des Alltags, der Wunsch, sich höheren Sphären zuzuwenden, waren bestimmend. Ideen aus den Bereichen der Theosophie wirkten, zum Teil auch über den ihm befreundeten Maler Wassily Kandinsky, auf Schönberg. Intensive religiöse Gefühle, die von den traditionellen Glaubensgemeinschaften nicht mehr befriedigt wurden, verbanden sich mit hochgestimmtem Selbstbewußtsein. In einem der Aphorismen, die Schönberg, der auch als Maler damals tätig war und dessen Bilder sogar von Kandinsky geschätzt wurden (und in der berühmten Ausstellung des Blauen Reiter in München auch gezeigt wurden), verfaßte, sagt er ganz deutlich, wie er die Bedeutung des Künstlers, also auch sich selbst einschätzt:»Durch und durch voll Sinn ist Gottes größte Schöpfung: das vom Menschen hervorgebrachte Kunstwerk«. Der Künstler als Werkzeug Gottes, nicht als beliebiges, sondern als Vollender der Schöpfung. Schönberg hat diese Haltung nie preisgegeben. Aber das Gedankengebäude, in welchem derartige Überzeugungen ihren Platz hatten, ist zerbrochen. Die Lebensumstände, die solche Vorstellungen nährten, haben sich grundsätzlich verändert, und die geplanten ausgreifenden Werke, die der Menschheit den Weg weisen sollten, blieben unvollendet. Ein einziges größeres Fragment von 1917, an dem Schönberg jedoch bis 1922 weitergearbeitet hat, das Oratorium *Die Jakobsleiter*, das immerhin etwa zur Hälfte komponiert wurde, gestattet einen Einblick.

Schönberg hat wenigstens dreimal in seinem Leben große Werke konzipiert, die der umfassenden Darstellung der wichtigsten Elemente seiner Weltanschauung dienten. Die Bedeutsamkeit der Aufgabe ließ ihn alle Rücksichten auf praktische Dinge – wie etwa Aufführbarkeit – hintanstellen. In den *Gurre-Liedern* (komponiert 1900) findet das pantheistische Lebensgefühl überwältigenden Ausdruck: noch der mit Gott hadernde Mensch geht auf in der allbeseelten Natur, von der er nur ein Teil ist. In dem Oratorium *Die Jakobsleiter* (1915–1922) wird der Mensch, die unsterbliche Seele des Menschen, nicht mehr als im Wirken der Natur eingebettet gezeigt, sondern im Zyklus mehrerer Leben: der Punkt, an welchem ein (abgelebtes) Leben in ein neues, zukünftiges übergeht, also der Vorgang zwischen Tod und Wiedergeburt. In der Oper *Moses und Aron* (komponiert 1930–1932) schließlich geht es um das Verhältnis von Offenbarung und Wort (Begriff), um die Verfälschung der reinen Offenbarung durch das Wort. Und das letzte, womit sich der greise und hinfällige Meister befaßte, waren *Moderne Psalmen*, selbstgedichtete Gebete. Das letzte Wort, das er komponiert hat, lautet:»Und trotzdem bete ich«.

Drei Tage nach der Vollendung der Dichtung *Totentanz der Prinzipien*, also am 18. Januar 1915, begann Arnold Schönberg mit der Niederschrift des Textes zu dem Oratorium *Die Jakobsleiter*. Beide Werke sollten in einem musikalischen Werk größten Ausmaßes aufeinander folgen, sollten mit anderen Sätzen eine alles umfassende»Symphonie« bilden. In Gedanken war Schönberg schon Jahre damit befaßt, wie die Vorstellungen, die ihn bewegten, für die Absichten, die er verfolgte, in eine geeignete äußere Gestalt gebracht werden könnten. Er hatte sich bereits im Dezember 1912 brieflich an den Dichter Richard Dehmel, der ihn früher entscheidend angeregt hatte und den er jetzt zur Mitarbeit an dem Riesenprojekt gewinnen wollte, gewandt:»(...) ich will seit langem ein Oratorium schreiben, das als

Inhalt haben sollte: wie sich der Mensch von heute, der durch den Materialismus, Sozialismus, Anarchie durchgegangen ist, der Atheist war (...), wie dieser moderne Mensch mit Gott streitet (siehe ›Jakob ringt‹ von Strindberg) und schließlich dazu gelangt, Gott zu finden und religiös zu werden. Beten lernen! (...) Und vor allem: die Sprachweise, die Denkweise, die Ausdrucksweise des Menschen von heute sollte es sein: die Probleme, die uns bedrängen, sollte es behandeln. Denn die in der Bibel mit Gott streiten, drücken sich auch als Menschen ihrer Zeit aus, sprechen von ihren Angelegenheiten, halten ihr soziales und geistiges Niveau ein. Deshalb sind sie künstlerisch stark, aber doch unkomponierbar für einen Musiker von heute, der seine Aufgabe erfüllt.«

Schönberg wollte zunächst das genannte Stück von Strindberg bearbeiten, einen Text Dehmels vertonen, den Schlußabschnitt »Himmelfahrt« von Balzacs Roman *Séraphita* einfügen, Psalmen dazunehmen. Schließlich müssen außerordentliche innere Erlebnisse, Erschütterungen und seelische Krisen Schönberg bestimmt haben, Texte wie die beiden genannten Dichtungen niederzuschreiben, denn ganz gewiß verdanken sie sich nicht primär literarischen Reminiszenzen.

In der unvertont gebliebenen Dichtung *Totentanz der Prinzipien* wird der Weg nach innen, wo sich Raum und Zeit verlieren, beschrieben, der Weg zur Erkenntnis des Geistigen durch Meditation. In der *Jakobsleiter* erkennt der Sterbende, daß er bereits viele Tode gestorben ist, und seine Seele, befreit von allem Irdischen, weitet sich, wähnt zu fliegen und verwandelt sich, um als Vollendeter Ruhe zu finden, während die Verstorbenen, die dieses Ziel noch nicht erreicht haben, sich auf ein künftiges neues Leben vorbereiten. Diese Verwandlung, die sich ebenfalls jenseits von Raum und Zeit ereignet, steht im Zentrum der Dichtung. Alles Vorangehende ist Bekenntnis und Gericht: in den bekundeten Taten, Absichten und Hoffnungen liegt bereits das Kommende, das nächste Schicksal keimhaft beschlossen, nicht nur Aufstieg oder Abstieg.

Komponiert hat Schönberg nur den ersten Teil seiner Dichtung, bis hin zur Verwandlung der Seele (Gabriel: »Dann ist dein Ich gelöscht«), im Sommer 1917; das große symphonische Zwischenspiel, das jetzt den Abschluß bildet, hat er später, nach der unliebsamen Unterbrechung der Arbeit, in den Jahren 1918 bis 1922 komponiert, bis er die Arbeit an dem Oratorium dann doch endgültig abgebrochen hat, ohne freilich die Hoffnung auf eine spätere Vollendung des ganzen Werkes jemals aufzugeben.

In die Textgestalt im einzelnen ist sicher viel Persönliches eingeflossen. Sämtliche hervortretenden einzelnen Seelen – der Berufene, der Aufrührerische, der Ringende, der Auserwählte, der Mönch – tragen Charakterzüge ihres Urhebers, personifizieren gewisse Eigenschaften und Gedanken Schönbergs; aber es wäre doch sicher übertrieben, in allen Handelnden nur Ausfaltungen des um tiefere Erkenntnis ringenden, kämpferischen und doch auch demütigen Künstlers sehen zu wollen. Allen Seelen wird der Weg gewiesen; dem Mönch sogleich, den anderen erst im zweiten, nicht mehr komponierten Teil. Diese Wege sind verschieden, entsprechend den unterschiedlichen Entwicklungsstufen. Jedoch, wie Gabriel, der zwischen Gott und den Seelen vermittelnde Erzengel, in seiner großen letzten Ansprache, die Anton Webern als »der Gipfelpunkt menschlicher Einsicht bisher« galt, sagt: »Auf jeder Stufe fällt man in Schuld; und eines jeden Gebet kann die seinige tilgen«, erscheint als Ziel die Aufforderung, beten zu lernen. Und so endet das Oratorium konsequent mit einem (freilich nicht mehr komponierten) inbrünstigen, vielstimmigen und vielchörigen Gebet.

Bei der Konzeption der Musik zu dieser Dichtung dachte der Komponist an ein unvorstellbar stark besetztes Orchester – zwanzigfache Holzbläser –, dazu Fernchöre und Fernorchester. Er hat später (1921) selbst eine kleinere, jedoch immer noch außergewöhnlich große Besetzung – achtfache Holzbläser – erwogen, aber zur Ausarbeitung einer Partitur kam es auch damals nicht. Das Werk existiert vielmehr nur in Gestalt eines Particells, die letzten 15 Takte sogar nur als Skizze. Die Musik ist – nach heutigem Sprachgebrauch – überwiegend frei atonal, aber doch nicht gänzlich ohne Anklänge an Vergangenes, etwa an die Tonsprache der eigenen *Kammersymphonie*. Man kann durch diese Musik zweierlei erkennen. Sie zeigt unwiderleglich, daß Schönberg Atonalität als Erweiterung der Tonalität angesehen hat, als eine unendlich bereicherte und differenzierte Tonalität, weiter, daß die Vorstellung der neuen Fundierung der erweiterten Möglichkeiten etwas mit kosmischen Vorstellungen, die ihn damals beherrschten, zu tun hat. Ohne sie hätte sich diese neue Tonsprache wahrscheinlich überhaupt nicht entwickeln können.

Man weiß, daß Schönberg 1917, mitten im inspiriertesten Schaffen, zum Militärdienst eingezogen wurde. Er hat zwar später den Gedanken an die Vollendung dieses Werkes niemals gänzlich aufgegeben; aber er hat es doch, nachdem er bis 1922 noch daran weitergearbeitet hatte, beiseite gelegt. Vermutlich fand er die Arbeit an dem großen Fragment in der Zeit nach seiner endgültigen Enthebung mehr als Erfüllung einer selbstauferlegten Pflicht, jedenfalls kaum mehr – wie 1917 – als Konsequenz eines mächtigen, inneren Impulses. Die Arbeit ging nurmehr ungemein langsam

voran. Aus der Arbeit am Hauptwerk war nämlich mittlerweile, was der
Komponist vielleicht zunächst gar nicht bemerkt hat, eine Nebenbeschäfti-
gung geworden. Denn in der Zwischenzeit hatte sich Wichtigstes ereignet.
Wer den ersten großen Brief an Kandinsky nach dem Kriege, den vom 20.
Juli 1922, aufmerksam liest, der wird bemerken, daß hier keineswegs nur
vom Zusammenbruch der Habsburger Monarchie die Rede ist, sondern
von sehr viel mehr:

»Sie wissen wohl, daß auch wir einiges hinter uns haben, Hungersnot! Die war recht arg!
Aber vielleicht – denn wir Wiener haben scheinbar viel Geduld – vielleicht war das Ärgste
doch die Umstürzung all dessen, woran man früher geglaubt hat. Das war wohl am schmerz-
haftesten. Wenn man von seinen Arbeiten her gewöhnt war, durch einen eventuell gewaltigen Denkakt alle Schwierigkeiten hinwegzuräumen und sich in diesen Jahren vor stets neuen
Schwierigkeiten gesehen hat, denen gegenüber alles Denken, alle Erfindung, alle Energie,
alle Idee ohnmächtig war, so bedeutet das für einen, der alles nur für Idee gehalten hat, den
Zusammenbruch, sofern er nicht auf einen anderen höheren Glauben immer mehr sich ge-
stützt hat. Was ich meine, würde Ihnen am besten meine Dichtung *Jakobsleiter* (ein Oratorium) sagen: ich meine – wenn auch ohne alle organisatorischen Fesseln – die Religion. Mir
war sie in diesen Jahren meine einzige Stütze – es sei das hier zum erstenmal gesagt.«

Zusammengebrochen war eben auch das, was die geistige Grundlage der
Jakobsleiter-Dichtung bildete, und mit ihm der ganze musikalische Kos-
mos, den die Musik zu diesem Oratorium bilden sollte. Die Summe konnte
nicht mehr gezogen werden. Es mußte vielmehr von Neuem begonnen
werden. (Dabei ist es jetzt gleichgültig, ob uns das, was als Summe gemeint war, als solche oder als unverbundenes synkretistisches Nebeneinander erscheint.) Dies hat nun Schönberg getan. Er hat ganz von vorn begonnen. Und bei diesem Neubeginn hat er bewußt die Grenzen, die der
Tonkunst gesetzt sind, beachtet, ja er hat sie absichtsvoll deutlich hervortreten lassen. Jetzt sollte sich alles wieder, wie noch zur Zeit der *Kammersymphonie*, auf nachvollziehbare Weise logisch entwickeln, die musikalische Logik sollte als solche erkennbar sein. Der musikalische Gedanke –
er war für Schönberg nicht nur, aber stets auch etwas Thematisches – sollte
auf eine Art und Weise entfaltet werden, die ihn faßlich erscheinen läßt.
Zusammengebrochen war auch das, was heute nationales Identitätsgefühl
genannt wird.

Schönberg, der, wie so mancher junge jüdische Intellektuelle, der sich
von seinen traditionellen Bindungen emanzipieren wollte, 1898 Protestant
geworden war, fühlte sich als Deutscher, er war entschlossen, Deutscher zu
sein (politisch selbstverständlich Deutsch-Österreicher). Beim Militär, zu

dem er während des Krieges mehrfach eingezogen war, hatte er ganz selbstverständlich den Ehrgeiz, ein guter Soldat zu sein. Für einen Kameradschaftsabend seiner Truppe schrieb er eine Komposition *Die eiserne Brigade.* Dieses Stück ist – neben etwa dem Chor *Der deutsche Michel* nach einem unsäglichen Gedicht von Ottokar Kernstock – Dokument von Schönbergs Wunsch, Patriotismus zu beweisen, eine ihm in schwerer Zeit zugefallene Verpflichtung zu erfüllen, sich hier nicht zu entziehen, sondern das Seine nach bestem Vermögen beizutragen. Ob das ganz ohne Selbstüberredung ging, ob er sich wirklich so ganz zugehörig fühlte? Es ist schwer zu sagen. Oder ob er sich selbst dieses Gefühl einredete, er sich das Mitmachen selbst befahl?

Daß er sich gelegentlich zu etwas zwingen konnte (und sich auch gezwungen hat), geht aus einer für ihn sehr wichtigen Beziehung hervor, seinem Verhältnis zu dem in Wien ein Jahrzehnt allmächtigen Hofoperndirektor Gustav Mahler. Schönberg, der Verehrer von Brahms und Wagner, mochte die frühen Werke Mahlers, etwa die erste Symphonie, nicht. Sie erschienen ihm zu primitiv. Als er jedoch den Menschen Mahler (durch Zemlinsky) näher kennenlernte, seinen glühenden Idealismus, seine Energie, sein Vollkommenheitsstreben, seine Kompromißlosigkeit, wuchs seine Verehrung ins Grenzenlose. Gegenstand der Verehrung wurde nun auch das Werk, das er jetzt als vollkommenen Ausdruck dieses Menschen erkannte. Schönberg sah in Mahler schließlich nicht weniger als sein Künstlerideal. Er hielt nach seinem Tod eine expressionistisch gestimmte Rede, die noch heute in ihrer hochgemuten Kunstbegeisterung ergreift. Mahlers Bedingungslosigkeit und sein tiefer Gottesglaube, der übrigens auch nicht konfessionell gebunden war, waren für ihn absolut vorbildlich. Aber später hat er, eigenem Bericht zufolge, Aufführungen von Werken Mahlers gemieden, weil er nicht ganz sicher war, ob diese Werke ihm noch so gut gefallen könnten, um die Verehrung, die er für Mahler noch immer empfand und die er unter keiner Bedingung vermindern wollte, weiter ungetrübt aufrechterhalten zu können. Er war fest entschlossen, Mahler auch weiterhin zu lieben und zu verehren. Er wollte da nicht unsicher gemacht werden.

Der Zusammenbruch der Welt der alten Ordnungen zeigte sich Schönberg auf drastische, ihn tief verletzende Weise. Bei einem Sommeraufenthalt in Mattsee, einem Ort im Salzburgischen, wurde er aufgefordert, seinen Taufschein vorzulegen, weil man keine Juden als Feriengäste wünsche. Schönberg hat seinen Taufschein, den er seit beinahe einem Vierteljahrhundert besaß, nicht vorgelegt, sondern ist sofort abgereist, tief verstimmt über die Unterbrechung seiner Arbeit und über die ihm zugefügte Kränkung. Man hatte ihm nämlich indirekt, aber doch unmißverständlich zu verstehen gegeben, daß er als Jude kein richtiger Deutscher sein könne, sondern nur ein unerwünschter Fremder. So wurde er gezwungen, sich als Jude zu fühlen, und da Halbheiten seine Sache nicht waren, begann er auch, sich zum Judentum zu bekennen und alle Anzeichen des Antisemitismus argwöhnisch zu beachten. So erklärt sich auch der heftige, seitenlange Brief an seinen Freund Kandinsky, von dem er gehört hatte, er dulde am Bauhaus antisemitische Ansichten, ja habe selbst womöglich dergleichen. Der Erkenntnis, daß man ihn als Juden für einen Menschen zweiter Klasse, ja möglicherweise überhaupt nicht für einen vollwertigen Menschen halte, hat er sich widerstrebend ergeben. Er begann, sich für spezielle jüdische Fragen zu interessieren, insbesondere für die Möglichkeiten zur Schaffung eines eigenen Judenstaates irgendwo, aber nicht in Palästina, da dieses Land auch von anderen Religionsgemeinschaften als heiliges beansprucht wurde und dort mittlerweile eine andere Bevölkerung Heimatrecht habe. Dabei ging es ihm ja gerade um die Begründung eines Staats, in welchem *allein* Juden leben. Das Problem, das er dann in seinem niemals aufgeführten und in deutscher Sprache auch bisher unveröffentlichten Drama *Der biblische Weg* behandelte, ist das der Organisation der Auswanderung und der Überwindung der jüdischen Uneinigkeit – genauer des extremen Individualismus und Intellektualismus –, damit sich überhaupt ein neues einiges Volk erst wieder entwickele. Die Staatsform, die der Führer der Neupalästina-Bewegung (wie Schönberg sie nannte), Max Aruns, verwirklichen will, ist eine autoritäre, die von dem einzelnen Unterordnung, das heißt Aufgabe seiner bisherigen Existenz verlangt.

Gewiß finden sich in diesem Stück, das auch zur Vorgeschichte der Oper *Moses und Aron* gehört, Elemente des Zionismus; aber Schönberg war doch kein Zionist, konnte auch als Leser der *Fackel* von Karl Kraus schlechterdings kein Anhänger Theodor Herzls sein. Obgleich er also dem Zionismus fernstand, hat das Schicksal der Juden in der Welt nicht mehr aufgehört, ihn zu interessieren. Er hat zahlreiche Notizen verfaßt, die sich mit diesen und ähnlichen Problemen befassen, nach 1933 hat er sogar den Gedanken erwogen, eine Partei zu gründen und seine ganze Kraft in den Dienst der jüdischen Sache zu stellen und nur noch politisch zu wirken. Aber seine Aktivitäten blieben in den angesprochenen jüdischen Kreisen ohne die gewünschte und erhoffte Resonanz, und so hat er sie schließlich aufgegeben. Wo man etwas von ihm erbat, Rat bei der Begründung von Musikschulen, Hilfe bei der Auswanderung, hat er sich nicht versagt.

Schönberg ist noch im Jahre 1933 in Paris in die jüdische Religionsgemeinschaft zurückgekehrt, jedoch allein, ohne seine Familie. Er wollte diese Rückkehr als eine Privatangelegenheit betrachtet wissen; aber durch eine Indiskretion kam davon etwas an die Öffentlichkeit, und so wurde der Übertritt vor allem von seinen Gegnern als politische Demonstration gewertet, also gerade als das, was Schönberg eigentlich vermeiden wollte. Tatsächlich lag für den Künstler, der das Oratorium *Die Jakobsleiter* geschrieben und eine Oper *Moses und Aron* beinahe vollendet hatte – auch an ihr hat er schon jahrelang gearbeitet –, diese Rückkehr zum alten biblischen Glauben sehr nahe, sie war seit langem geistig vorbereitet.

Das Erlebnis in Mattsee 1921, so sehr es ihn bewegte, hat doch lediglich Bedeutung für seine politische Einschätzung des im Zuge der Verarmung der Bevölkerung um sich greifenden Antisemitismus; gedanklich beschäftigte er sich bereits seit Jahrzehnten mit dem Alten Testament und mit dem, was er selbst den Gottesgedanken genannt hat. Wie kann Gott, ohne daß der ihn Verehrende sich ein Bild von ihm macht, gedacht werden, wie soll ein Mensch sich mit Gott im Gebet vereinigen, wenn er ihn sich nicht vorstellen darf?

Die Oper *Moses und Aron*, in der diese Thematik entfaltet wird, ist ein Bekenntniswerk, zugleich, wie die *Jakobsleiter*, ein Fragment. Auch sie war eigentlich von Anfang an unvollendbar, weil die Problematik ohne Trivialisierung gar nicht auflösbar ist. Wer ist im Recht: der, der auf der Reinheit und Unverfälschtheit des Gotteswortes besteht und den Menschen dadurch praktisch das Leben unmöglich macht, oder der, der den Menschen zuliebe es gestattet, daß sie sich ein Bild machen, um in ihm Gott verehren zu können, damit aber zugleich die Reinheit des Gedankens trüben, ja diesen Gedanken selbst verfälschen? Eine unbeantwortbare Frage, und so endet die Oper mit der Verzweiflung über das Mißlingen des Versuchs, das Problem durch Beharren auf der Reinheit zu lösen.

Indessen geht es in diesem Werk nicht nur um den Gottesgedanken, sondern überhaupt grundsätzlich um den Gedanken, wohl auch, unausgesprochen, um den musikalischen. *Moses und Aron* ist eine Zwölftonoper. Der musikalische Gedanke – dem Schönberg ein ebenfalls Fragment gebliebenes theoretisches Werk widmete – soll nach Schönbergs Überzeugung ebenfalls unverfälscht übermittelt werden, das heißt gegebenenfalls unter Verzicht auf das Erklingen, mindestens durch Verzicht auf (vom Gedanken selbst ablenkenden) Wohlklang, aber Menschen benötigen auch hier zum Verstehen das vermittelnde Bild, den Klang, der den Gedanken sinnlich erfahrbar macht. Der Gegensatz Geist–Sinnlichkeit erscheint hier

als künstlerisches Problem in einer neuen Gestalt, in einer Zeit, in der die
Seite der Sinnlichkeit hoffnungslos kommerzialisiert und zum Selbst-
zweck, zum Komfort des Lebens (wie Schönberg sagt) geworden ist. Daß
sie rechtens nur das vermittelnde Medium ist, das selbst keine Eigenbedeutung besitzt, kann nicht mehr deutlich erkennbar werden. Der Gedanke
wird verdunkelt.
   Alle diese Gedanken haben in Schönbergs Denken bereits lange vor
der Konzeption der Oper *Moses und Aron* eine Rolle gespielt. Aus der Zeit
vor dem Ersten Weltkrieg, als er noch an der Konzeption der großen Symphonie, aus welcher sich langsam die *Jakobsleiter* verselbständigte, arbeitete, stammt die Vertonung eines geistlichen Gedichts aus dem *Stunden-
buch* von Rainer Maria Rilke als Orchesterlied. Es lautet:

> Alle, welche dich suchen, versuchen dich.
> Und die, so dich finden, binden dich
> an Bild und Gebärde.
>
> Ich aber will dich begreifen,
> wie dich die Erde begreift;
> mit meinem Reifen
> reift
> dein Reich.
>
> Ich will von dir keine Eitelkeit,
> die dich beweist.
> Ich weiß, daß die Zeit
> anders heißt,
> als du.
>
> Tu mir kein Wunder zulieb.
> Gib deinen Gesetzen recht,
> die von Geschlecht zu Geschlecht
> sichtbar sind.

In dem Gedicht wird zunächst festgestellt, daß der Gott Findende sich den
Gefundenen durch Bild und Gebärde vorstellbar und damit auch erinnerbar
machen will. Diese Haltung erscheint dem Beter (oder Bekenner), der als
Subjekt des Gedichts anzunehmen ist, unzureichend (wenn nicht gar ver-
fälschend). Er will Gott ohne Vermittlung durch eine Vorstellung oder ein
Bild erkennen, einfach als Naturwesen. Er will auch nicht, daß Gott sich
ihm durch ein Wunder beweise, sondern durch die Gesetze. Allein die

Naturgesetze selbst können die Existenz und die Allmacht Gottes beweisen, nicht eine einzelne Wundertat, die die Gesetze doch nur aufhebt, ihnen also den beweisenden Gesetzescharakter gerade nimmt.

Zwei der das Gedicht beherrschenden Gedanken, der der Ablehnung
des Bildes als Voraussetzung des Gottesglaubens und der der Gegenüberstellung von Gesetz und Ausnahme (oder Freiheit), wurden von Schönberg
in den zwanziger Jahren in eigenen, zur Komposition bestimmten Spruch-
dichtungen neu formuliert. Der erste Gedanke auf folgende Weise:

> Du sollst nicht, du mußt.
> Du sollst dir kein Bild machen!
> Denn ein Bild schränkt ein,
> begrenzt, faßt,
> was unbegrenzt und unvorstellbar bleiben soll.
> Ein Bild will Namen haben:
> Du kannst ihn nur von Kleinem nehmen;
> Du sollst das Kleine nicht verehren!
> Du mußt an den Geist glauben! Unmittelbar, gefühllos
> und selbstlos.
> Du mußt, Auserwählter, mußt, willst du's bleiben!

Dieses Prosagedicht, das nicht nur im Wortlaut an die Zehn Gebote an-
klingt, hat Schönberg für gemischten Chor a cappella vertont. Es ist eine
seiner großen Spruchkompositionen.

In dieser Dichtung ist es vornehmlich die Gegenüberstellung von Bild
und Geist, die dem vorausgesetzten Gebotstext eine eigenartige Wendung
gibt. Die Betonung des Müssens, des dem Auserwählten auferlegten
Zwanges, müssen zu müssen, wenn er seine Berufung erfüllen will, ist aus
dem Text des Oratoriums *Die Jakobsleiter* wohlbekannt. Wer ist jedoch
der Auserwählte der Spruchdichtung? Ist das derjenige, der, wie Schönberg es einmal formuliert hat, »Gottes größte Schöpfung, das vom Menschen hervorgebrachte Kunstwerk« schafft, der Künstler, das Genie? Der
von Gott zur Vollendung der Schöpfung bestimmte Künstler? Hier, in dem
Spruch, verschmelzen Naturgebot und moralisches Gebot merkwürdig in-
einander.

Die Bilderfeindschaft hat, wie allbekannt, tiefe Wurzeln in den religiösen Traditionen, im Judentum, im Christentum (wo sie teilweise überwun-
den wurde) und im Islam. Die Betonung des Gesetzes ist fraglos in besonderem Maße jüdische Tradition. In *Moses und Aron* werden dann Bildbe-
dürfnis und Gedankenklarheit quasi personifiziert einander gegenüberge-

stellt: des Bildes bedürftig soll, nach Schönbergs Überzeugung, nur der
sein, der sich nicht zum Gedanken, zum reinen Gedanken erheben kann.
Und der höchste Gedanke ist Gott. Er ist nur denkbar, nicht vorstellbar.
Die Begründung liefert schon der ältere Spruch: das Bild schränkt ein,
macht das Unvorstellbare (durch Verkleinerung) vorstellbar.

In einer anderen, abermals einige Jahre jüngeren Spruchkomposition
nach einem eigenen Text wird von Schönberg der andere Gedanke des
Rilkeschen Gedichts aufgegriffen und weitergeführt, der vom Verhältnis
Gesetz–Ausnahme. Schönbergs Prosagedicht lautet:

Das Gesetz.

Wenns so kommt, wie man es gewöhnt ist,
ists in Ordnung: das kann man verstehn.
Kommt es aber anders, ist es ein Wunder.
Jedoch bedenke nur:
Daß es immer gleich kommt,
das ist doch das Wunder,
das dir unbegreiflich scheinen sollte:
Daß es ein Gesetz gibt,
dem Dinge so gehorchen,
wie du deinem Herrn,
was den Dingen gebietet,
wie dir dein Herr:
Dieses solltest du als Wunder erkennen!
Daß einer sich auflehnt
ist eine banale Selbstverständlichkeit.

Diese drei kleineren Werke Schönbergs, das Orchesterlied nach dem Gedicht Rilkes und die beiden Spruchkompositionen, sind geistliche durch
ihre im Bereich des Religiösen wurzelnden Inhalte. Wenn sie auch für keine anderen Zwecke als für Konzertaufführungen in Betracht kommen, so
ist ihr religiöser Inhalt gleichwohl nicht zweifelhaft, so wenig wie der des
Oratoriums *Die Jakobsleiter* und der der Oper *Moses und Aron*, zu denen
sie sich als Prolegomena und Epilegomena gesellen. Sie bilden jedoch zugleich eine neue musikalische Gattung, eben die der Spruchkompositionen
(für unbegleiteten Chor), die in geschichtlichem Zusammenhang mit der
Liedkomposition zu sehen ist, die selbst aber kaum mehr Liedmäßiges
oder gar Lyrisches und schon gar nichts Liturgisches kennt.

In der Zeit nach seiner Rückkehr in die jüdische Glaubensgemeinschaft hat Schönberg neben seinen Plänen für eine politische Tätigkeit auch versucht, sein Bekenntnis zum Judentum künstlerisch zu gestalten. So entwarf er Anfang 1937 eine Symphonie, deren einzelne Sätze sich auf das jüdische Leben beziehen sollten, der erste Satz auf den Gegensatz von Auserwähltheit und Verworfenheit, der dritte auf bestimmte heilige Feste und Gebräuche. In den Skizzen finden sich Hinweise auf Einzelheiten – bestimmte Eigenschaften und Gefühle, wie etwa »Neid schwillt an zu Haß«, wohl zur Charakterisierung der Antisemiten, oder »Heimatgefühle angesichts der Gebräuche.« Über erste Skizzen kam Schönberg nicht hinaus, sicher weil Progammusik dieser Art damals künstlerisch gar nicht mehr in Betracht kommen konnte. Wenn es jedoch stimmt, wie neuerdings vermutet wird, daß sich im vierten Streichquartett von 1937 Anklänge an Formeln alter liturgischer Synagogen-Gesänge finden, dann hätte die Befassung mit der speziell jüdischen Tradition auch in der reinen Instrumentalmusik einen gewissen Niederschlag gefunden. Jedenfalls komponierte Schönberg damals auch ein richtiges liturgisches Stück, das *Kol nidre*, das Gebet am Vorabend des Jom Kippur, des Versöhnungsfestes – kein zwölftöniges, sondern ein tonales Werk –, und in seiner allerletzten Zeit komponierte er auch noch einen Psalm in hebräischer Sprache, den 130., für gemischten Chor, diesmal freilich zwölftönig. Dieser Psalm, Schönbergs letztes vollendetes Werk, bringt auch noch einige Neuerungen, die ständige und wechselhafte Vermischung von gesungenem und gesprochenem Wort.

Das *Kol nidre* op. 39 ist die einzige Komposition, die Schönberg speziell für den Tempeldienst geschaffen hat. Schon deshalb hat er auf die Anwendung seiner Kompositionsmethode mit zwölf nur aufeinander bezogenen Tönen verzichtet und die Tonsprache im Umkreis der traditionellen harmonischen Tonalität, in g-Moll, gehalten. Aus diesem Grund heißt die Besetzungsangabe auf dem Originalmanuskript auch nicht »für Sprecher«, sondern »für Rabbi, Chor und Orchester«. Gleichwohl hat Schönberg den Text nicht ohne Eingriffe vertont; er hat ihn vielmehr verdeutlicht, indem er es unmöglich machte, den Gedanken des Versöhnungsfestes – die Aufhebung eines Gelübdes, eines erzwungenen Glaubenswechsels – zu verfälschen. Unerträglich war ihm der Gedanke, das Gebet könne dazu dienen, einem Schieber oder Spekulanten nützlich zu sein. Zum Zwecke der Vertonung, in welcher auch einige traditionelle musikalische Motive anklingen, wurde das eigentliche Gebet mit einer Einleitung versehen – sie stammt von dem Rabbiner Dr. Jakob Sonderling, auf dessen Anregung das

Werk überhaupt komponiert wurde –, eine Einleitung, die das Ganze doch auch wieder aus dem Rahmen des Gottesdienstes herauslöst. In dieser Einleitung werden die Gedanken, die das Gebet voraussetzt, ausgesprochen. Die ganze Einleitung wird vom Rabbi zur Musik gesprochen, das eigentliche »Kol nidre« selbst wird vom Chor gesungen.

Das Spätwerk Schönbergs steht, soweit es Vokalmusik ist, ganz im Zeichen des Geistlichen. Das Subjekt spricht nicht von sich selbst als von etwas für sich Bedeutungsvollem, sondern gibt Rechenschaft über das eigene Tun, um dereinst bestehen zu können.

Zwei Werke der Spätzeit des Komponisten, als er schon schwer leidend und gebrechlich war, lassen noch einmal den Impetus des expressionistischen Schönberg aufleben, beide sind Zeugnisse äußerster Betroffenheit. Eines davon ist die Kantate *Ein Überlebender aus Warschau.* Der Aufstand der Juden in Warschau 1944, seine Niederschlagung und die Liquidierung der Unterworfenen: das ist der geschichtliche Hintergrund des in seiner Art ganz unvergleichlichen Werkes. Der Überlebende erinnert sich an eine Lagerszene. Vor Morgengrauen wird eine Gruppe von Gefangenen geweckt, zusammengetrieben und aus fingiertem nichtigen Anlaß mit Gewehrkolben zusammengeschlagen, so daß es scheint, alle seien tot. Einer der scheinbar Toten, der Erzähler, hört, wie eine andere Gruppe in der Erwartung des Todes beim Abzählen ganz plötzlich gemeinsam in einem Gesang den Gott Israel anruft und preist.

Schönberg hat den Text selbst zusammengestellt und so disponiert, daß gleich im ersten Abschnitt, der einleitenden Erinnerung vor der eigentlichen Erzählung, deutlich wird, warum die Szene über den Einzelfall hinaus denkwürdig ist. Von den grauenhaften, zugleich wirren und trivialen Vorgängen hebt sich der Augenblick der Wiedererweckung des alten vergessenen Glaubens als »grandios« ab. Der (englischen) Schilderung des Grauens, das hörbar wird durch diffuse Geräusche, Signale, Pfiffe und (deutsches) Befehlsgeschrei, kontrastiert der Ausdruck des Schmerzes, der Angst und der Verzweiflung. Als Voraussetzung des entscheidenden Augenblicks erscheint dies alles als scheinbar gestaltlose Folie. Das Anstimmen des (hebräischen) Gesanges, des »Sch^ema Yisroel«, als Zeichen des in äußerster Bedrängnis, in Todesangst wiedergefundenen Glaubens, läßt eine musikalische Gestalt, die von Schönberg komponierte, vom Männerchor unisono gesungene Melodie, hervortreten. Daß Schönberg, der durch die ihn tief erschütternden Berichte zu diesem Werk inspiriert wurde, in erster Linie diesem Augenblick, in dem der Glaube wiedergefunden wird, Dauer verleihen wollte, erweist nicht nur die Gestaltung des Textes, in welchen sicher authentische Berichte im Wortlaut eingingen, sondern auch die Komposition (und deren aus den Skizzen erschließbare Entstehungsgeschichte).

Schönberg fühlte sich gewiß mit den unglücklichen Opfern solidarisch, und seine Erregung war so groß, daß er das Werk in kürzester Zeit, in kaum mehr als zwei Wochen (im August 1947) schaffen konnte; aber der Höhepunkt, das Zentrum des Ganzen ist der Augenblick der Glaubenserweckung. Noch einmal erwachte seine alte schöpferische Kraft. So konnte er ein Werk hervorbringen, das in wenigen Minuten einen für unsere Zeit charakteristischen Weltzustand widerspiegelt und zugleich zeigt, wie er zu überwinden ist.

Die letzten Werke, an denen Schönberg gearbeitet hat, sind Chorkompositionen nach eigenen Texten, die er selbst *Moderne Psalmen* genannt hat. Es sind Gebete, persönliche Aussprachen mit Gott, der Versuch, sich ihm ohne vermittelnde Instanzen zu verbinden. Sie sind, obgleich ihr Autor sich als Jude bekennt, konfessionell ungebunden, wohl religiös ohne institutionelle Bindung, die Schönberg als Privatperson auch in religiösen Belangen sonst nicht verschmäht hat. Er war seinerzeit in der evangelischen Gemeinde in Mödling bei Wien, wo er nach dem Ersten Weltkrieg wohnte, aktiv tätig, hat sich daselbst nicht nur trauen lassen.

Die späten *Modernen Psalmen* stehen allerdings neben ganz speziell jüdischen Gesängen, nicht nur dem hebräischen Psalm 130, sondern auch dem kleinen Chor *Dreimal tausend Jahre*, der die Sehnsucht nach der alten Heimat Palästina zum Ausdruck bringt. Ebenfalls aus tiefer Vergangenheit hervorgeholt erscheinen Bearbeitungen deutscher Volkslieder, wie er sie auch schon zwei Jahrzehnte zuvor in Deutschland veröffentlicht hatte.

Trotz seiner im Alter sich verstärkenden Bindung an das Judentum hörte er doch nicht auf, sich als deutscher Komponist zu fühlen, als Komponist, der sich der Nachfolge der großen Meister Bach, Mozart, Beethoven und Brahms verbunden fühlte, einer Tradition, die es ihm ermöglicht hat, die Idee des »Musikalischen Gedankens und seiner Darstellung« zu konkretisieren, der ein Gesetz dafür suchte, daß dieser musikalische Gedanke unverfälscht – faßlich, sagte Schönberg – dargestellt und aufgenommen werden kann, ohne daß ein Bild ihn trübe. Die Gestalt des Kunstwerks sollte in jeder Einzelheit verantwortbar sein und verantwortet werden.

Am Ende seines langen, kampferfüllten Lebens stand schließlich nurmehr die Zwiesprache mit sich selbst und mit Gott; vielfach versuchte der alte Schönberg einfach, die eigenen Gedanken über die ihn bewegenden religiösen Fragen zusammenzufassen, auch die verschiedenen Traditionen der religiösen Überlieferung, die ihn geprägt haben, miteinander zu vereinigen. In einem der eigenen Psalmen erwägt er das Problem, wie eine jüdische Darstellung von Jesu Leben hätte berichten können, und er beklagt schließlich, daß jüdische und christliche Traditionen, die einer Wurzel entstammen, sich trennten, sich entfremdeten. Aber man darf nie vergessen: wenn er »wir« sagt, so fühlt er sich als Jude, als frommer Jude. Es wird für alle Zeit denkwürdig bleiben, daß Arnold Schönberg, der große jüdische Komponist deutscher Tradition und Herkunft, nach einem schweren, aber gleichwohl erfüllten Leben als letzte Worte komponiert hat: »Und trotzdem bete ich«.

Franz Schreker

Über Franz Schreker, den Komponisten, Dichter, Dirigenten, Kompositionslehrer und Hochschuldirektor, läßt sich derzeit ohne falsche Prätention noch keine Festrede halten. Schrekers Wirken ist im Bewußtsein der ihm verpflichteten Nachlebenden noch nicht derart verankert, daß sich bereits eine Summe ziehen ließe. All unser Wirken für Schrekers Werk kann nur der Anregung dienen; es kann, wie zu hoffen ist, dazu beitragen, daß eines schönen, hoffentlich nicht zu fernen Tages eine richtige Festrede über ihn und sein Wirken wird gehalten werden können. Freilich gibt es auch innere Gründe, die uns zögern lassen, rückhaltlos zu feiern. Es ist die Erinnerung an das Ende der Laufbahn: Enttäuschung, Intrige, politische Hetze, schließlich zweimalige Entlassung, Zusammenbruch, Krankheit und früher Tod. Das ganze, heute unfaßbare Elend der frühen dreißiger Jahre, der Zeit des Endes der Weimarer Republik und der beginnenden Hitler-Ära, liegt wie ein schwerer Schatten auf dem Bild, das doch heute klar erkannt werden muß.

Wer jedoch kann von all dem, was da geschehen ist, absehen? Wer von denen, die es noch erlebt haben oder gar darein verstrickt sind, hatte bisher auch nur die Neigung, sich genauer zu erinnern? Die Erinnerung ist so leicht getrübt! Auf der einen Seite der Wunsch, sich selbst reinzuwaschen, auf der anderen der Wunsch, wirklich oder scheinbar Schuldige zu verdammen. Narzißmus und Ressentiments der Zeitgenossen sind verständlich, helfen aber nicht weiter. Die Nachgeborenen müssen sich – ohne moralischer Insuffizienz zu verfallen – von all dem innerlich frei machen.

Franz Schreker, dessen Werk der Vergessenheit entrissen werden soll, war, sieht man aufs Ganze, ein glückloser Komponist. Er, der wie kaum ein anderer die leidenschaftliche Sehnsucht nach Glück zum Gegenstand seiner Werke machte, hatte selbst nur vorübergehend Fortüne. Kaum hatte er seine ersten großen Erfolge und war im Begriff, sich durchzusetzen, da kam der Erste Weltkrieg; nach dem zweiten großen Anlauf, unmittelbar nach diesem fürchterlichen Krieg, kam ein allgemeiner Umschwung, der dem Komponisten den Rückhalt in der öffentlichen Meinung und der Avantgarde allmählich entzog.

Schreker wurde von diesen Ereignissen der Geschichte härter getroffen als die vergleichbaren Komponisten, die seine Zeitgenossen waren, und zwar aus einem ganz einfachen Grund: er war der jüngste von ihnen und infolgedessen natürlicherweise der am wenigsten arrivierte. Richard Strauss war vierzehn, Max Schillings zehn, Hans Pfitzner neun, Alexander Zemlinsky sieben, Max Reger fünf und Arnold Schönberg vier Jahre älter. Schreker hätte also, rein altersmäßig, Schönbergs Schüler ebenso gut sein können, wie dieser Schüler Zemlinskys war. Dazu kommt noch, daß die musikalische Gattung, der Schrekers Wirken vornehmlich galt, die Oper, in Deutschland, ganz im Gegensatz zu Italien und Frankreich, in Kreisen der ernsten Musikfreunde nicht das höchste Ansehen genießt (das genießt die Kammermusik). Ein Opernkomponist muß also mit besonderen Vorurteilen rechnen! Nur die ganz großen Erfolge, deren Chance durch diese Gattung immerhin gegeben ist und die Schreker zeitweilig auch erringen konnte, lassen diese Vorurteile in Vergessenheit geraten.

In Franz Schrekers Leben gab es einige Jahre, die sich, ohne Übertreibung, als Schicksalsjahre bezeichnen lassen; Jahre, in welchen sich durch einige kaum vorhersehbare Ereignisse so gut wie alles für ihn verändern sollte – nicht etwa nur äußerlich, also etwa in dem Sinne, daß er in seiner Laufbahn einen bedeutenden Schritt vorangekommen wäre (dies war auch der Fall, war aber nicht das Entscheidende), sondern auch in seiner künstlerischen Entwicklung. Ein solches Jahr war das Jahr 1908, ein entscheidendes Jahr auch für die allgemeine Musikgeschichte. Es brachte Schreker einen zunächst eher nebensächlich erscheinenden Auftrag: die Komposition einer Ballettpantomime; wichtiger war schon die Gründung des »Philharmonischen Chors«, mit dem sich der Komponist durch erfolgreiche Ur- und Erstaufführungen einen festen Platz im Musikleben der Metropole der Monarchie als Sachwalter der Moderne erringen konnte. Berühmt wurde die Uraufführung der *Gurre-Lieder* von Schönberg, die diesem Komponisten den vielleicht größten äußeren Erfolg seines Lebens brachte. Für Schreker aber sollte gerade die kleine Ballettpantomime besonders wichtig werden.

Um die volle Bedeutung dieses Auftrags würdigen zu können, ist es notwendig, sich einige Tatsachen ins Gedächtnis zu rufen. Bestellt wurde die Pantomime von den Schwestern Grete und Elsa Wiesenthal, den berühmten, ganz Wien bezaubernden Tänzerinnen, die damals im Kabarett »Fledermaus« auftraten. Grete Wiesenthal war bis zum Jahr 1907 Corpstänzerin der Hofoper, wo sie der Direktor Mahler mit der Darstellung der Rolle der Fenella in der *Stummen von Portici* von Auber betraut hatte. Darüber kam es mit dem Ballettmeister zu Verstimmungen, die Grete Wiesenthal veranlaßten, die Oper zu verlassen und sich künstlerisch selbständig zu machen. Ihre Begabung für die Pantomime war also von keinem

Geringeren als Mahler, der bekanntlich fürs Ballett sonst nicht viel übrig hatte, erkannt worden. Nun sollte Grete Wiesenthal mit ihrer Schwester Elsa zur Eröffnung der »Kunstschau« im Juni des Jahres 1908 im Gartentheater eine Pantomime nach Oscar Wildes Märchen *Der Geburtstag der Infantin* tanzen. Die Bedeutung dieses Ereignisses für einen jungen Komponisten wird nur erkennbar, wenn man den Charakter dieser »Kunstschau« als repräsentativer Demonstration der modernen Künstlergruppe Wiens, der Gruppe um den Maler Gustav Klimt, die sich 1905 von der Sezession wiederum abgespalten hatte, beachtet. Die Klimt-Gruppe war nämlich nichts anderes als eine Sezession der Sezession. Die selbständige Arbeit der Schwestern Wiesenthal war eng mit dem Literatur- und Kunstleben Wiens verknüpft. Der Dichter Max Mell schrieb für sie Pantomimen, und die Lehrer der Kunstgewerbeschule, der Maler Koloman Moser und der Architekt Josef Hoffmann (der Gründer der »Wiener Werkstätten«), lieferten Ideen und veranlaßten ihre Schüler zu kunstreicher Ausgestaltung und Mitwirkung. Auf der Kunstschau 1908 selbst hat der zweiundzwanzigjährige Oskar Kokoschka zum erstenmal Werke der Öffentlichkeit vorgestellt. Peter Altenberg, der, wie Hugo von Hofmannsthal, die Wiesenthals bewunderte, hat eine seiner unvergleichlichen Prosaskizzen dem »Gartentheater in der ›Kunstschau‹« gewidmet.

»Es ist unter freiem Himmel. In einem abendlichen Garten. Wie gut man atmet. Auf einem schneeweißen Thronsessel mit einem großen goldenen Polster, in einer schneeweißen Nische thront die jugendliche Infantin. Man will ihr manches bieten an ihrem Geburtstage. Sie und ihr Hofstaat weinen bei den Darbietungen eines Puppentheaters. Dann bietet man ihr einen buckligen tanzenden Zwerg. Dieser gerät in Ekstase, und die jugendliche Infantin wirft ihm gerührt eine Rose zu. Da ist er verloren, verloren. Es ist unser aller Schicksal! Wir entzünden uns, brennen, glühen, man wirft uns eine Rose zu, nimmt uns dennoch nicht ernst. (...) Da bricht uns denn das dumme Herz, wie dem grotesken mißgestalteten Zwerge. – Alle diese Dinge wurden uns also plausibel gemacht auf einer kleinen, ganz offenen Bühne, unter freiem Himmel, in einem Garten, an einem lauen Juniabend. Elsa Wiesenthal mimte wunderbar die jugendliche Infantin, eine ›Kindliche‹, die bereits ›Zerstörung‹ verbreitet infolge ihrer frauenhaften Macht, wenn auch erst im Keime. Sie war unübertrefflich, dieses schöne Kind, mit der verheerenden Macht, schlummernd in ihr wie der Giftzahn der jungen Kreuzotter, der noch nicht vorhanden ist und dennoch zu wachsen beginnt! Grete Wiesenthal mimt den unglückseligen Zwerg. Nicht anders könnte man es sich vorstellen, daß ein Verkrüppelter – und wer wäre es nicht einem idealen Lichtbilde gegenüber – tanzte in rührend-grotesken Verrenkungen, sein armes Bestes leistend und dennoch unfähig, zu erobern, zu bezwingen, da ihm die göttliche Anmut fehlte!? Es war ein Drama des Krüppels, dieses Tanzen, es war eine Tragödie unser aller, die wir als Verkrüppelte tanzen vor unseren Lichtgestalten! Die Infantin wirft ihm daher eine Rose zu, wie sie uns allen Rosen zuwerfen, aus Laune, Übermut und

Leichtsinn! Unser Herz keineswegs bedenkend und uns zerbrechend wie wertloses Spiel-
zeug! So tragierte Grete Wiesenthal den Zwerg. So tragierte Elsa Wiesenthal die Infantin!
(...)

Kostüme sind herrlich. (...)

Es war eine Gartenvorstellung an einem lauen Juniabend (...).

Alles in allem ein bedeutsamer Keim zu künftigen Entwicklungen. Möge ein jeder nur so
wenigstens weiterbauen an den Dingen, die da kommen werden –! Reife braucht Zeit und
günstigen Regen, Sonne und Freiluft. Zum Gedeihen aber gehören hundert günstige Konstel-
lationen! (...)«[1]

Altenberg hebt mit Nachdruck hervor, daß es sich um »das Drama des
Krüppels« handele – wobei für ihn der Krüppel das Bild des (gemessen am
Ideal) unvollkommenen Menschen ist. Hier ist also das Thema angeschla-
gen, das später, wenn auch auf andere Weise, im Zentrum der *Gezeichneten* stehen sollte, deren Dichtung auf Anregung von und für Alexander
Zemlinsky geschrieben wurde. Eine Wurzel zu diesem Hauptwerk liegt
also in dieser Pantomime. Diese selbst, deren Originalpartitur übrigens leider verschollen ist[2], besteht, wie auch aus Altenbergs Beschreibung hervorgeht, entsprechend dem Märchen Wildes, aus zwei Teilen: einer Folge
von Tänzen und der tragischen Schlußszene, der Szene vor dem Spiegel.
In der Publikation der Suite *Der Geburtstag der Infantin* für Klavier zu
vier Händen, die 1909 erschienen ist, heißt es darum am Schluß in einer
Fußnote:»Der letzte Teil Szene vor dem Spiegel und des Zwerges Tod er-
gänzt diese Suite zu einem vollständigen Klavierauszug der gleichnamigen
Pantomime: *Der Geburtstag der Infantin* nach Oscar Wildes Erzählung«.
Der Teil des Werkes, der den Umschlag ins Tragische bringt und der so
zur Wurzel der *Gezeichneten*-Handlung wurde, ist vom Komponisten
selbst aus der Suite entfernt worden. – Er wurde auch anderthalb Jahrzehn-

---

1   Peter Altenberg, *Gartentheater in der»Kunstschau«,* in: *Bilderbögen des klei-
    nen Lebens,* Berlin 1909, S. 123–125. Altenberg schrieb auch über die *Kunst-
    schau 1908 in Wien* (ebd., S. 115f.). Beide Prosastücke wurden nachgedruckt
    in: *Das große Peter Altenberg Buch,* hg. von Werner J. Schweiger, Wien
    1977, S. 321f. bzw. 369f.

2   Herr Lewis Wickes machte mich nach dem Vortrag darauf aufmerksam, daß
    sich die Urfassung der Musik zur Pantomime *Der Geburtstag der Infantin* un-
    erkannt im Archiv der Universal Edition Wien befindet.

te später, als Schreker das Werk für großes Orchester instrumentierte, weggelassen, hier freilich durch einen kurzen Nachklang ersetzt. Und als diese Suite später wiederum zur Grundlage eines Balletts gemacht wurde – dieses hieß dann *Spanisches Fest* und wurde hier in Berlin an der Staatsoper aufgeführt –, war der ganze tragische Schluß längst entfallen. Was blieb, war eine Folge von Tänzen elegant zeremoniösen Charakters. Was Schreker bereits etwa ein Jahr nach der Komposition der Pantomime, etwa 1909, über ein Instrumentalwerk eines anderen Komponisten geschrieben hat, paßt sehr gut sowohl zur Charakterisierung dieser Tänze und auch zur Bestimmung der Intention des Komponisten als auch zur Erkenntnis eines der wichtigsten seiner musikalischen Probleme; und darüber hinaus gibt es zugleich Einblick in die am Außermusikalischen orientierte Phantasie des Komponisten:

»Wir wandeln leicht beschwingt, von sorglosen Rhythmen geleitet – doch hie und da schlägt uns sinnverwirrend eine berauschende Duftwelle entgegen. Wir stehen verloren, des Lebens gefährlichste Rätsel treten einen Augenblick an uns heran, und wir scheuchen sie von uns, mit einem frivolen Seufzen, wohl auch mit einem Lächeln, das nicht ganz frei von leisem Bangen ist. Es drängt sich mir bei diesem Werke und ähnlich gearteten, denen man in jüngster Zeit – nach einer Periode des schwärzesten musikalischen Tiefsinns – erfreulicherweise öfter begegnet, der Gedanke auf, ob unsere moderne Harmonik mit all ihren chromatischen Spitzfindigkeiten nicht schuld daran ist, wenn in den Kelch heiterer Laune und unbefangener Fröhlichkeit immer wieder ein Wermutstropfen fällt.«[3]

Die Tänze selbst, die Tatsache der steigernden Folge von Tänzen mit nebenbei auch archaisierendem Charakter, haben im Werk Schrekers weitergewirkt, vor allem in der Festszene des *Spielwerk*, dessen Konzeption ja ebenfalls in dieses Jahr 1908 fällt. Die Biographen Schrekers wissen zu berichten, daß die Kaiserjubiläumsfeier in Wien dieses Jahres, in deren Verlauf sich ein zu einer Panik führendes Unglück ereignet hatte, Anregung zur Schlußszene gegeben habe.

Im Jahre 1908 empfing Schreker also neben den ersten Anregungen zu den *Gezeichneten* auch die bestimmenden Eindrücke, die der Konzeption des dramatischen Märchens *Das Spielwerk und die Prinzessin* vorausgingen. Das Werk selbst wurde in seiner 1915 umgearbeiteten Gestalt zum direkten Vorläufer des *Schatzgräber*, der zeitweilig sein erfolgreichstes

---

3   Franz Schreker, Rezension des Streichquartetts Nr. 1 von Leo Weiner, in: *Der Merker* 1, Heft 5 (1909), S. 217f.

Werk war. Die beiden Opern *Spielwerk* und *Schatzgräber* verbindet nicht nur die Verwendung der gleichen Märchenmotive, sondern auch der resignierend-poetische, beinahe mild verklärende Schluß.

Sehen wir also, wie die Anregungen der Pantomime nach Wildes Märchen in Schrekers Œuvre weiterwirken, so darf doch nicht unbeachtet bleiben, wodurch Schreker in die Lage versetzt wurde, die damaligen Anregungen als solche zu erkennen und zu ergreifen. Die *Infantin*-Pantomime ist nämlich nicht nur Ausgangspunkt neuer Entwicklungen, sondern auch ein Abschluß. Sie ist dasjenige Werk Schrekers, in welchem er sich als Moderner, gleichsam als musikalischer Sezessionist, den Wienern vorstellte. Sie steht am Ende einer für sein Künstlerleben entscheidenden Wandlung, über die wir bisher leider noch immer nicht genügend unterrichtet sind und vielleicht, wegen des Mangels an Quellen, auch niemals umfassend unterrichtet werden können. Gleichwohl muß versucht werden, das Dunkel möglichst aufzuhellen.

Schreker hat mit gediegenen, den Beifall seiner Lehrer findenden Werken sein Studium am Konservatorium der Gesellschaft für Musikfreunde abgeschlossen. Er hat dafür Preise bekommen, ist von angesehenen Künstlern aufgeführt worden und hat etliche Werke zum Druck befördern können (vor allem Lieder und Chorwerke). Das späteste dieser Werke war die symphonische Dichtung *Ekkehard* nach Viktor von Scheffels damals ungemein populärem historischen Roman, die die Opuszahl 12 erhielt und im Jahre 1903 in Wien zur Aufführung kam. Um diese Zeit war Schreker bereits mit der Komposition der Oper *Der ferne Klang* beschäftigt. Möglicherweise waren die beiden ersten Akte sogar schon weitgehend komponiert. Die Beratungen mit dem Dichter Ferdinand von Saar, der 1903 immerhin schon siebzig Jahre alt war und einer ganz anderen Gesellschaftsschicht als Schreker angehörte und der im Salon der Josephine von Wertheimstein in Döbling – dem Ort, in dem auch Schreker in freilich subalterner Stellung lebte – eine bedeutsame, aus der Hofmannsthal-Biographie bekannte Rolle spielte, müssen sich spätestens in diesem Jahr abgespielt haben, wohl auch die Gespräche mit dem ehemaligen Kompositionslehrer Robert Fuchs (übrigens einem gediegenen und geschmackvollen Musiker), die, wie bekannt, zum Abbruch der Arbeit an der Oper geführt haben.

Es ist schon eine nicht nur für die damalige Zeit charakteristische Situation: die Musiker haben kein Verständnis für den jungen Komponisten, wohl aber die Dichter. Die Musiker in Wien waren in der übermächtigen Brahms-Tradition befangen, die moderneren in der Wagners. Und so ist es

kein Wunder, daß Schreker der Begriff der Moderne, wie übrigens auch
etwa ein Lustrum früher dem vier Jahre älteren Schönberg, an der Literatur
aufgegangen ist. Die Naturalisten (vor allem Hauptmann, dessen Stück
Und Pippa tanzt später noch bedeutsam wirken sollte) und die moderne
Dichtung der verschiedensten Richtungen (vor allem Schnitzler, Wedekind, aber auch Wilde) haben Wirkung geübt. Dazu kam dann noch der
bestimmende Eindruck zweier musikalischer Bühnenwerke, die auf bedeutenden modernen Dichtungen basieren, der *Salome* von Richard Strauss
(nach der Dichtung Wildes) und der Oper *Ariane et Barbe-bleue* des fran-
zösischen Komponisten Paul Dukas (nach dem Drama von Maurice Maeterlinck). Die im Dezember 1905 in Dresden uraufgeführte *Salome* kam
erst im Mai 1907 nach Wien[4], und zwar, weil eine Aufführung an der
Hofoper des Stoffes halber nicht möglich war, durch das Ensemble des
Stadttheaters Breslau im Deutschen Volkstheater, einem Wiener Sprech-
theater; die wichtige Aufführung des Dukasschen Werkes, das übrigens
eine Wiederbelebung verdient hätte, – Schreker hat an der Einstudierung
des Werkes mitgewirkt – fand im April 1908 an der Volksoper unter der
Leitung von Alexander Zemlinsky statt. Der Einfluß beider Werke ist mit
Händen zu greifen. Das *Nachtstück* aus dem dritten Akt des *Fernen Klang*,
ganz sicher eine für Schrekers Entwicklung entscheidend wichtige Komposition, ist gewiß erst nach den Wiener *Salome*-Aufführungen entstanden,

---

4   Nach Erich H. Müller von Asow, *Richard Strauss, Thematisches Verzeichnis*,
    Bd. 1, Wien 1959, S. 362. In dem sonst verläßlichen Verzeichnis von Anton
    Bauer, *Opern und Operetten in Wien. Verzeichnis ihrer Erstaufführungen von
    1629 bis zur Gegenwart*, Graz-Köln 1955, S. 87, ist diese Aufführung unbe-
    rücksichtigt geblieben. Gösta Neuwirth zitiert in seiner Monographie *Die
    Harmonik in der Oper »Der ferne Klang« von Franz Schreker*, Regensburg
    1972, S. 21, aus der Schreker-Biographie von Julius Kapp (München 1921, S.
    18) die Sätze: »(...) hörte er Richard Strauss' *Salome* und gewann dabei die
    Überzeugung, daß er mit seiner Oper doch nicht auf so falscher Fährte sein
    könne, wie man ihm einzureden suche. Er faßte neuen Mut und komponierte
    das (...) *Nachtstück*.« Neuwirth fügt (innerhalb der Zitatzeichen) die Jahreszahl
    »(1905)« an. Da jedoch die Uraufführung der *Salome* im Dezember 1905 in
    Dresden von Schreker kaum besucht worden sein dürfte, die Oper jedoch erst
    im Mai 1907 nach Wien kam, kommt das Jahr 1905 als Entstehungsjahr des
    Nachtstücks nicht in Betracht. Wenn Schreker – was immerhin möglich, aber
    bisher nicht erwiesen und bei der schlechten wirtschaftlichen Lage auch wenig
    wahrscheinlich ist – die Aufführung in Graz (16. Mai 1906) gehört hat, könnte
    das *Nachtstück* auch schon im Jahre 1906 entstanden sein.

also kaum früher als in der zweiten Hälfte des Jahres 1907. (Der Einfluß von Dukas wird hauptsächlich in der Instrumentation, vor allem der Behandlung der Holzbläser, deutlich.) Im Jahre 1908 entstehen dann neben der jetzt schon beinahe bis zum Überdruß zitierten Pantomime Tanzdichtungen, unter anderem solche, die die wichtigste Figur des literarischen Symbolismus ins Zentrum rücken, den »Pierrot«. Schreker hat diese Tanzdichtungen teilweise in literarischen Zeitschriften, z.b. 1912 im *Ruf*, dem Flugblatt des »Akademischen Verbandes für Literatur und Kunst«, veröffentlicht. (Er hat später auch seine Operndichtungen, auch die nicht komponierten, in Zeitschriften publiziert.)

Das zweite für die Entfaltung von Schrekers Musikerleben entscheidend schicksalhafte Jahr ist das Jahr 1912. Es brachte Schrekers Berufung als Kompositionslehrer an die Akademie für Musik in Wien und die außerordentlich erfolgreiche Uraufführung der Oper *Der ferne Klang* in Frankfurt am Main unter Ludwig Rottenberg, selber ein beachtenswerter Komponist eigenartiger, damals geschätzter Lieder. (Dazu ist hier nichts weiter zu sagen. Auf eine Kritik dieses Werkes anläßlich der Münchner Aufführung unter Bruno Walter wird zurückzukommen sein.) An der Akademie hatte Schreker die Möglichkeit, seine – damals neuartig wirkenden – Ideen von einer zeitgemäßen Kompositionslehre in die Tat umzusetzen, wie man weiß und wie die Zahl der renommierten Schüler auch heute noch leicht erkennen läßt, mit allergrößtem Erfolg. Das Programm dürfte dem Schönbergschen nicht unähnlich gewesen sein. Der Schreker-Biograph Hoffmann hat es uns in seiner Biographie (nach einem Interview) mitgeteilt. Weil es so einleuchtend ist und weil es so den kühnen Zugriff des Begeisterten erkennen läßt, sei es hier in Erinnerung gebracht (und zur Beherzigung empfohlen):

»Pädagogische Grundsätze gibt es nicht. Jeder Lernende will anders behandelt sein. Ich verwahre mich auch dagegen, ›Pädagoge‹ (schreckliches Wort) zu sein, sondern bemühe mich als Künstler auf die mir anvertrauten jungen Menschen Einfluß zu üben. Ich verlange von diesen volle Beherrschung der Satztechnik, nicht im Sinne vergangener Jahrhunderte, sondern dem Geiste unserer Zeit entsprechend. Allerdings ist es notwendig, daß der Lernende in langsamer Entwicklung dahin gebracht wird, gewissermaßen die Kristallbildung der Musik im Laufe der Zeiten verfolgend, über Bach, Beethoven, Wagner und Strauss hinweg zu einem eigenen Stil zu gelangen. Von hundert Talenten wird das vielleicht eines Sache sein – der einflußnehmende Lehrer oder ›Pädagoge‹ muß aber versuchen, in jedem einzelnen seiner Schüler das Streben nach dem Höchsten zu wecken, alles andere wirkt verderblich. – In der Kunst gibt es kein Sich-Bescheiden, sondern nur ein Entweder-Oder. Darum empfiehlt es sich auch, im geeigneten Zeitpunkte von dem Lernenden zu verlangen, daß er die alte Form mit neuem Inhalt fülle, ja, über den Rahmen der Form hinausgehend, diese erweitere, überhaupt, seiner Individualität entsprechend, neue Ausdrucksmöglichkeiten suche. Das an Musikschulen beliebte ›Nachkomponieren‹ einer Beethoven-Sonate oder Instrumentieren einer Kuhlau-Sonatine halte ich nicht für besonders geistreich vom erzieherischen Standpunkte aus. Es gibt mehr Talente – wenigstens nach meiner Erfahrung in Wien und wahrscheinlich auch anderswo – als man glaubt. Sie werden zumeist unterdrückt und mutlos gemacht. Hie und da übersteht eines den hemmenden Einfluß der Schule (die absolut nicht gleichen Schritt mit der Entwicklung der musikalischen Kunst zu halten vermochte) und bricht sich Bahn. Vollständig reorganisiert müßte der Unterricht in Harmonielehre werden. Da unterrichtet man mit Seelenruhe nach Grundsätzen, die vor fünfzig Jahren schon veraltet waren.«[5]

Die Uraufführung des *Fernen Klang*, der Anfang von Schrekers Ruhm, ist zugleich das Ende einer üblen Wiener Affäre, die zu allem Überfluß auch noch eine Reprise ist. Mahler hatte seinerzeit eine Oper Alexander Zemlinskys zur Uraufführung angenommen, aber Mahlers Nachfolger 1907, Felix von Weingartner, fühlte sich nicht gebunden und führte das Werk, obgleich es schon studiert war, nicht auf. Weingartner nahm Schrekers Oper auf Empfehlung Bruno Walters an – der Verlag hat daraufhin die Oper gedruckt –, aber der Nachfolger Weingartners, Gregor, fühlte sich nicht gebunden und führte das Werk nicht auf. So konnte es, Jahre später, dann erst in Frankfurt, wo Schreker um diese Zeit noch gänzlich unbekannt war, zum ersten Male gespielt werden. Und Frankfurt war es dann auch, von wo aus Schrekers erfolgreichste Opern, *Die Gezeichneten* und *Der Schatzgräber* (1918 resp. 1920), in die Welt gingen.

Damit sind wir beim dritten Schicksalsjahr in Schrekers Künstlerleben, dem Jahre 1920. Die Uraufführung des *Schatzgräber* in Frankfurt, das Erscheinen einer analytischen Broschüre des angesehenen Musikschriftstellers Richard Specht, die Berufung nach Berlin als Direktor der ehemaligen Königlichen Hochschule für Musik als Nachfolger des Musikers und Musikgelehrten Hermann Kretzschmar, das Erscheinen des ersten Schreker-Sonderheftes der *Musikblätter des Anbruch* und die Schrekerhefte der *Blätter der Staatsoper* (Berlin) und der *Blätter des Operntheaters* (Wien) aus Anlaß der Wiener Erstaufführung der *Gezeichneten*, markieren den Gipfel von Schrekers Laufbahn. Bereits 1919 war die enthusiastische Broschüre über den Komponisten von Paul Bekker, dem einflußreichen Kritiker der *Frankfurter Zeitung*, erschienen, eine Schrift, die ganz deutlich das Neue der Schrekerschen Opernkonzeption herausstellte, der ersten ganz

---

5   Rudolf St. Hoffmann, *Franz Schreker*, Wien 1921, S. 15f.

aus dem Geiste der Musik (und nicht dem der Literatur) geborenen Konzeption des musikalischen Dramas seit Wagner. Sie rief viele Neider und Einschränker auf den Plan. Aber die Opern selbst erregten überall Aufsehen und Teilnahme des Publikums. Sie hatten größten Erfolg. 1921 erschienen dann zwei Biographien, die schon genannte des Wiener Arztes und Musikschriftstellers Hoffmann und die des Berliner Chefdramaturgen und fleißigen Biographen Julius Kapp.

Gewiß gab es stets Kritiker, die den Enthusiasmus Paul Bekkers nicht ohne Einschränkung teilten, gab es Meinungsverschiedenheiten und Kontroversen, aber seit 1920 hat sich da etwas geändert. Ein neues Klima kündigte sich an. Den ungewöhnlichen Opernerfolgen folgten aufs Grundsätzliche gehende negative Kritiken und häßliche Polemiken. Um gleich mit dem Übelsten zu beginnen, das 1920 eintrat: des Wiener Balladenkomponisten Emil Petschnigs Aufsatz *Das Ende des deutschen Tondramas* in der *Neuen Musikzeitung.*[6] Petschnig, ein schlechter Komponist, hat gegen viele moderne Wiener Komponisten, unter anderem gegen seinen ehemaligen Lehrer Zemlinsky, polemisiert; später jedoch erhielt er von Alban Berg, den er ebenfalls angerempelt hat, die ihm gebührende Antwort. Das verdient heute vielleicht gar keine Beachtung mehr, allenfalls als Symptom für den Aufstand der musikalischen Mediokrität, der seit dem Beginn der Ära der Neuen Musik sich gegen diese wandte.

Berlin hat, wie man mittlerweile weiß, Schrekers Erwartungen nicht erfüllt. Er war, als er hierher kam, 42 Jahre alt, gehörte also nicht mehr zur jungen Generation, die in der Nachkriegszeit besonders lebhaft hervordrängte. Es war dies die Generation seiner Schüler. Sie suchte das Einfache, Ambitionslose, keinen hohen Bedeutungsanspruch Erhebende, Schlichte. Ihre Repräsentanten wollten eine Musik machen, die nichts über ihren Autor aussagt. Ernst Křenek, jener Schüler, der für den Stimmungsumschlag jener Jahre das feinste Gespür hatte, hat in jenen Jahren, in welchen Schreker auch Rilke und Whitman vertonte, einen Text – Gedicht zu sagen, wäre übertrieben – komponiert, der wirklich keinen lyrischen Anspruch mehr stellt und der den Bruch mit der romantischen Tradition besser als eine lange Abhandlung deutlich macht: »Ein einfaches lichtes Kleid, ein leichter Gang, ein Mädchen, das hier und da meine Lenden geschmeidiger macht. Ihm dankbar sein dürfen und eins! verschont die Seele.«

---

6   Emil Petschnig, *Das Ende des deutschen Tondramas,* in: *Neue Musikzeitung* 41 (1920), S. 342–345.

Der neue Geist, der sich Schrekers Berliner Kollegen Busoni viel näher fühlte, war gegen Emotionalität jeder Art, insbesondere gegen psychisch Differenziertes gerichtet. Er suchte das Typische (oder was er dafür hielt).

So war es kein Wunder, daß in der führenden Zeitschrift für Neue Musik, dem Berliner *Melos*, das der Novembergruppe nahestand, sich bereits im zweiten Jahrgang ein offener Brief an Franz Schreker unter dem Titel *Opern-Tod* fand, ein Artikel, der ausschließlich gegen die Dichtungen gerichtet war, vor allem gegen die märchenhafte Einkleidung der Handlung.[7] Die Opern Schrekers, die jetzt dem Publikum so sehr gefielen, fanden nicht mehr den Beifall der Herren Musikkritiker, deren fortgeschrittene sich sehr rasch neuen Idealen zuwandten.

Es kann nicht meine Aufgabe sein – und schon gar nicht im Rahmen eines Festvortrags –, hier die Einwände, die gegen Schreker vorgebracht worden sind, vorzuführen, zu qualifizieren und zu widerlegen. Ich würde hier heute nicht an dieser Stelle sprechen, wenn ich sie im wesentlichen für triftig hielte. Nicht, daß Schrekers Werk über alle Kritik erhaben wäre! Das ist es sowenig wie irgend anderes Menschenwerk – aber hier geht es nicht um Kritik, hier soll Interesse an Schreker und an Schrekers Werk geweckt werden, ungeachtet selbst der berechtigten Einwände, die hier vorzutragen unpassend wäre. Wenn nicht die Zeichen trügen, so wird ein neuer Anfang sichtbar. Das geistige Klima hat sich in den vergangenen Jahren in einer Weise verändert, die für Schrekers reiches und üppiges Werk günstig ist. Es hat sich vieles wiederum geändert, seitdem der Maler Fritz Hundertwasser vor einem Jahrzehnt die Parole »Los von Loos!« ausgegeben hat![8] Der berühmte Maler meinte damit die Lossagung von dem

---

7 Robert Prechtl, *Opern-Tod. Offener Brief an Franz Schreker*, in: *Melos* 2 (1921), S. 51–56.

8 Fritz Hundertwasser, *Los von Loos. Gesetz für individuelle Bauveränderungen oder Architektur-Boykott – Manifest*, in: *Protokolle 68, Wiener Jahresschrift*, hg. von Otto Breicha und Gerhard Fritzsch, Wien 1968, S. 56–63. Es heißt da: »Natürlich stimmt es, daß die schablonierten Ornamente Lügen waren./ Verbrechen waren sie nicht./ Durch die Abnahme der Ornamente wurden aber die Häuser nicht ehrlicher./ Loos hätte das sterile Ornament durch lebendiges Wachstum ersetzen sollen.// Das tat er nicht. / Er pries die gerade Linie, das Gleiche und das Glatte./ Auf dem Glatten rutscht alles aus./ Auch der liebe Gott fällt hin./ Denn die gerade Linie ist gottlos./ Die gerade Linie ist die einzige unschöpferische Linie./ Die einzige Linie, die dem Menschen als Ebenbild Gottes nicht entspricht.// Die gerade Linie ist ein wahres Werkzeug des Teufels./ Wer sich ihrer bedient, hilft mit am Untergang der Menschheit.«

großen Architekten Adolf Loos, der in seinem Essay *Ornament und Verbrechen* die Überflüssigkeit und Schädlichkeit, ja die Verwerflichkeit des Ornaments in einer Welt festgestellt hatte, die sich nichts mehr ornamentlos vorstellen konnte. In einer von Ornamenten gänzlich befreiten Welt, in einer Welt, in welcher nur die gerade Linie zählt – sie ist (nach Hundertwasser) das einzig Gottlose –, kann es keines mehr sein, eher erweist sich die Verwechslung von Ornamentlosigkeit mit Reinheit als nicht weniger trügerisch als die von Ornamentreichtum mit Fülle. Gar zu oft ist sie mittlerweile nur mehr Ausdruck des Willens zur Senkung der Gestehungskosten und der Phantasielosigkeit. Fassaden, Buchdeckel, Interieurs, dünne Klänge, alles dies ist heute ornamentlos, rational, wohl auch nicht selten einfach dürftig.

Dürftigkeit, klangliche Sprödigkeit ist das letzte, was der Musik Schrekers nachgesagt und vorgeworfen werden könnte. Sie neigt eher zur klanglichen Üppigkeit und Differenziertheit. Überhaupt ist es der Begriff des Klanges, den der Komponist selbst akzentuiert hat und den dann auch die Exegeten – allen voran Paul Bekker – ins Zentrum ihrer Deutungsversuche gerückt haben. Das liegt nahe genug, wo doch der Klang selbst hier nichts nur musikalisch Erscheinendes, sondern nicht selten auch Thema im Sinne von (außermusikalischem) Stoff wird. Der ferne Klang ist nicht nur ein Klang, sondern wesentlich Motiv der dramatischen Entwicklung; ebenso der Klang des Spielwerks in der gleichnamigen Oper *Spielwerk* oder der der Laute des Sängers im *Schatzgräber*, die Orgel im *Singenden Teufel*. Der Klang als Handlungsmotiv hat hier eine ähnliche Funktion wie bestimmte Bilder, auf die der Komponist auch großes Gewicht legte, der Waldzauber im *Fernen Klang*, »das Erglühen und Verdämmern der Erscheinung des Schlosses im Spielwerk, die Enthüllung des Bildes von der Totenhand am Schluß des zweiten Aktes der Gezeichneten«[9], von der Erscheinung der nur mit dem königlichen Schmuck bekleideten Els im *Schatzgräber* ganz zu schweigen. Auch diese Bilder erscheinen als charakteristische Klänge (oder Klanggewebe), die ganz und gar musikalischen Naturbildern gleichen, die sich, was die Harmonik betrifft, stets durch Unveränderlichkeit, durch Statik, auszeichnen. Die wichtigsten das Klangbild beherrschenden Instrumentalfarben etwa des Spielwerks der gleichnamigen Oper sind denn auch Harfen, Celesta, Glockenspiel und Harmonium, alles Instrumente, die zum Vortrag von Themen (im Sinne von melodischen Gestalten) weniger geeignet sind als zur Darstellung von Harmo-

---

9   Franz Schreker, *Meine musikdramatische Idee*, in: *Anbruch* 1 (1919), S. 6f.

nien. Natürlich können Melodien hinzutreten – im *Spielwerk* sind es die Flötenweisen, die der Bursch spielt und damit das Erklingen des Spielwerks auslöst –, aber der Klang als selbständiges Gebilde (eben als der Klang des Spielwerks) und die jeweilige Flötenmelodie sind doch verschiedene Dinge. Die Anfänge der Ouvertüre zur Oper *Die Gezeichneten* (resp. des *Vorspiels zu einem Drama*) und der *Kammersymphonie* können eine Vorstellung davon geben. Schreker selbst spricht von der Bedeutung der Klänge:

»Klänge – welch arg mißbrauchtes, vielgeschmähtes Wort! Nur ein Klang – nur Klänge! Wüßten die Nörgler, welche Ausdrucksmöglichkeiten, welch unerhörter Stimmungszauber ein Klang, ein Akkord in sich bergen kann! Schon als Knabe liebte ich es, mir einen jener ›Wagnerschen‹ Akkorde am Klavier anzuschlagen und lauschte versunken seinem Verhallen. Wundersame Visionen wurden mir da, glühende Bilder aus musikalischen Zauberreichen. Und eine starke Sehnsucht! Der reine Klang, ohne jede motivische Beigabe, ist, mit Vorsicht gebraucht, eines der wesentlichsten musikdramatischen Ausdrucksmittel, ein Stimmungsbehelf ohnegleichen.«[10]

Klang ohne motivische Beigabe! Der reine Klang! Das ist ein Ideal. Vielleicht erklingt deshalb die Laute des Sängers Elis im *Schatzgräber* erst richtig, als die Geliebte stirbt, bei ihrem »Sichlösen von allem Irdischen«! So wird erkennbar, daß der Begriff des Klanges für Schreker zwar eine zentrale musikalische, aber doch keine bloß musikalische Kategorie ist.

Der Begriff des Klanges, wie Schreker ihn, seinen eigenen Worten zufolge, selbst versteht, muß als Gegenbegriff zu dem gelten, was Arnold Schönberg den »musikalischen Gedanken« nennt. Der Klang ruht musikalisch in sich selbst, bedarf keiner Veränderung und Entwicklung. Der Gedanke dagegen muß dargelegt, expliziert, d.h. entwickelt und durchgeführt werden. Die Elemente eines musikalischen Gedankens sind Motive und Themen! Das können gegebenenfalls auch Klänge im Sinne von Harmonien oder Harmoniefolgen (Akkorden oder Akkordfolgen), wohl gelegentlich auch Klangfarben sein; in der Regel ist ein musikalischer Gedanke eine vornehmlich melodisch und rhythmisch definierte musikalische Gestalt, die eine Harmonie (oder Harmonien) in sich enthalten oder sie bedingen mag. Das Klangliche ist in der Regel bloß das Medium des Gedankens, nicht dieser selbst. Bei Schreker jedoch ist der Klang selbst der musikalische Gedanke. Das Gedankliche im Sinne von melodisch-rhythmischen Gestalten, das bei ihm selbstverständlich auch seinen Platz hat, tritt außer-

---

10 Franz Schreker, ebd., S. 6.

ordentlich zurück, die Melodien, wenn sie erscheinen, sind vielfach nicht die Hauptsache, sondern das, was den Klang bloß artikuliert. Der Klang stützt also nicht die Melodik, sondern die Melodik gliedert den Klang oder bildet bloß dessen Oberfläche. Das zeigen schon die frühen Werke. Am Anfang etwa der *Infantin*-Musik, eines seiner bekanntesten Werke, erklingt, apart eingekleidet, eine Melodie. Die harmonischen Veränderungen, die Aufmerksamkeit erregen, sind indes nicht Konsequenzen der Melodieentwicklung, sondern umgekehrt, die Melodik paßt sich den aparten harmonischen Wendungen und Veränderungen an. Diese Veränderungen sollen denn auch nicht logisch begründet sein, sondern reizvoll, delikat wirken, Sensation auslösen. Die Harmonik, die hier also eine Funktion der Farbe ist, ist jedoch lediglich eine Seite des Klanglichen, die Instrumentation eine andere. Instrumentation, wie Schreker sie auffaßt, ist eine wichtige, den Tonsatz konstituierende Dimension. Gewiß, Schreker hat gelegentlich auch in einem traditionellen Sinne instrumentiert, aber das sind eher Ausnahmen. Meistens ist sein Tonsatz im Klaviersatz oder als abstrakt stimmiger Satz gar nicht darstellbar. Das ist schon frühzeitig erkannt worden und hat zu manchem Fehlurteil derer, die die Werke nur aus den Auszügen kannten, geführt. Der außerordentlich sensible Musikkritiker Alexander Berrsche, ein Schüler Regers und Verehrer Pfitzners, schrieb im Frühjahr 1914 bei Gelegenheit der Münchener Erstaufführung des *Fernen Klangs*:

»Mit Franz Schreker ist der absolut unzeichnerische, impressionistische Kolorismus in die Musik eingedrungen. Das Klangliche hat nicht mehr den Zweck, Medium und Vehikel des musikalisch Gedanklichen zu sein, sondern es ist umgekehrt alles, was auf dem Papier steht, nur eine Hilfskonstruktion, die die Orchesterfarben ins Licht stellen soll. Die spekulativen Erörterungen Arnold Schönbergs über ›Klangfarbenmelodien‹ sind hier Wirklichkeit geworden. Man hört bei der Aufführung des Schrekerschen Werkes auch harmonische und melodische Bildungen, die man auswendig weiß, nur als Klangfarben. Und diese Klangfarben sind von einer ungeahnten, förmlich betäubenden Schönheit.«[11]

Und Schreker selbst bestätigt denn auch in willkommener Weise, was bei einer derartigen Kompositionsweise gar nicht anders zu erwarten ist: »Ich

---

11 Alexander Berrsche, *Kritik der Münchener Aufführung der Oper »Der ferne Klang«*, in: *Die Musik* 13 (1914), Heft 13, S. 50.

brauche nie Instrumentationsnotizen in meinen Skizzen, da ich die Instrumentation vom Moment der Komposition an völlig im Kopfe behalte.«[12]
Die Eigentümlichkeiten der Schrekerschen Instrumentation, seine äußerst kunstreiche instrumentale Disposition sind hier nicht im einzelnen zu erörtern, aber es ist festzustellen, daß sie schlechterdings einen Gipfel der Instrumentationskunst darstellen.

Tatsächlich gibt diese orchestrale Disposition der Musik dem Schrekerschen Klang etwas Irreales, etwas über die Welt der Realität Hinausweisendes. Nicht zufällig wird diese Welt in beinahe allen Werken überschritten, sei es ins Überweltliche, sei es ins Innerliche. Kein Zufall gewiß, daß sich die Handlungen gerne als märchenhafte darstellen und das »dramatische Märchen« selbst, sei es mit, sei es ohne tiefere Bedeutung, die Schreker angemessene musikdramatische Gattung ist. Die Märchenmotive selbst – die kranke Prinzessin, die von einem Naturburschen geheilt wird – sind durch eine Vorstellung der Zeit, die die Weiningers, Freuds und Schnitzlers war, freilich stark modifiziert und neu bestimmt.

Sie legen mancherlei Deutungen nahe, da die Handlungen teilweise in der Welt des Traumes, auch der des Wachtraums und des Wunschtraums, wohl auch der des Rausches zu spielen scheinen, in welcher andere Gesetze als die der Logik herrschen.

Sicher birgt gerade die Ansiedlung der Handlungen in diesen Sphären eine große Zukunftschance für Schrekers Werke. Aber Schrekers Opern, deren wahre Bedeutung erst bei lebhafter Pflege zu erkennen sein wird – der Platz des Komponisten in der Geschichte der deutschen Oper nach Wagner wird bald nicht mehr strittig sein –, sollen nicht vorzeitig auf irgend etwas festgelegt werden. Es ist vielmehr der ausgesprochene oder nicht ausgesprochene Wunsch aller derer, die sich mit Schreker seit langem befassen, seinem Werk den Boden zu bereiten, Verständnis für es zu wecken. Es soll erreicht werden, daß den Werken mit sympathischer Geneigtheit begegnet, der Musik vorurteilsfrei zugehört wird. Sie zum klanglichen Leben zu erwecken ist Aufgabe der überzeugten Künstler.

---

12 Mitgeteilt von Walter Gmeindl, *Die Instrumentation des »Singenden Teufels«*, in: *Anbruch* 10 (1928), S. 105–107 (im Separatdruck des Sonderheftes zu Schrekers 50. Geburtstag S. 27–29).

Alban Berg

Die musikalische Welt gedenkt im Jahr 1985, dem Europäischen Jahr der Musik, nicht nur der großen Meister Heinrich Schütz, Johann Sebastian Bach und Georg Friedrich Händel, sondern auch eines der größten Meister der Musik des 20. Jahrhunderts, Alban Bergs, und zwar sowohl des 100. Geburtstages als auch des 50. Todestages. Allein diese Tatsache erhellt die Tragik dieses erfüllten Künstlerlebens. Berg ist, wie sein Vorbild Gustav Mahler, im 51. Lebensjahr gestorben, noch dazu an derselben Krankheit, an Sepsis. Zwar gibt es auch sonst Gemeinsamkeiten – vor allem in der Einschätzung der Bedeutung der Musik –, aber die große Verschiedenheit von Herkunft, Bildungsgang und Lebensgestaltung lassen weitergehende Vergleiche als müßig erscheinen. Vor allem besteht ein großer Unterschied: Mahler war ausübender Musiker, Kapellmeister und Operndirektor, Berg dagegen war dies nicht, sondern zeitweilig, wenn auch in Maßen, Musikschriftsteller. Zwar waren beide, Mahler und Berg (im Gegensatz zu Schönberg), leidenschaftliche Leser, Mahler aber suchte in der großen Literatur, der philosophischen und der belletristischen, weltanschaulichen Halt, Bestätigung; Berg dagegen war ein richtiger Roman- und Dramenleser, der vornehmlich an Charakteren und menschlichen Schicksalen interessiert war. Er versenkte sich in Proust und Kafka und liebte auch, wie sein Freund Webern, Peter Rosegger. Er hätte selbst gewiß ein bedeutender Musikpublizist werden können, wenn es ihm Schönberg nicht ausgeredet und dieser Beruf sich ihm nicht auch aus einem anderen Grund strikt verboten hätte, aus seiner Verehrung für den allen seinen literarischen Arbeiten als Leitstern voranleuchtenden Karl Kraus. Die Neigung zur schönen Literatur, sowohl zum Lesen als auch zum Schreiben, teilte er mit den Romantikern, vor allem mit Robert Schumann, mit dem ihn so viel verband und dessen Musik ihm ganz besonders viel bedeutete. Beide, Schumann und Berg, waren sich in mancher Hinsicht ähnlich, in der Kompliziertheit und Differenziertheit ihres Seelen- und Gefühlslebens, in ihrer jugendlich-schwärmerischen Ausdruckshaltung. Nicht zufällig gilt Bergs vielleicht wichtigste, jedenfalls einflußreichste schriftstellerische Arbeit einem Klavierstück von Schumann, der *Träumerei*.

Schumann – Mahler – Berg, mit dieser Namenreihe, die mehr als eine bloße Aufzählung ist, wird auch zugleich die Sonderstellung Bergs im Rahmen der Wiener Schule Arnold Schönbergs sichtbar. Dieser mehr geistige Zusammenhang, obgleich in natürlichen Dispositionen der einzelnen

Meister gründend, ist doch hauptsächlich Zeugnis einer Wahlverwandt-schaft, die von Berg deutlich genug als solche empfunden wurde. Die schicksalhafte Beziehung zu dem Künstler und dem Menschen Arnold Schönberg, dem Lehrer und Vorbild, ist dagegen etwas ganz anderes. Als der neunzehnjährige Alban Berg im Oktober 1904 zu Arnold Schönberg kam, um sein Schüler zu werden, hatte er bereits einiges kom-poniert, hauptsächlich (mehr als 30) Lieder. Schönberg erkannte sofort das außergewöhnliche Talent. Er sah,»daß Musik ihm eine Sprache war und daß er sich in dieser Sprache ausdrückte«, und er empfand in diesen auf Originalität noch keinen Anspruch erhebenden Gebilden die »überströ-mende Wärme des Fühlens«: Schönberg hat den Schüler sogleich ange-nommen, obgleich dieser, da die Familie durch den Tod des Vaters in Schwierigkeiten gekommen war, nichts bezahlen konnte. Es wurde für Berg eine schicksalhafte, lebensbestimmende Beziehung. Und als Berg selbst zu einem Meister geworden war, hat er sich stets leidenschaftlich zu seinem Lehrer bekannt, zu dessen Werk und zum Menschen. Sein Mit-schüler Anton von Webern wurde sein treuer Freund.

Berg fing schon als Halbwüchsiger an zu komponieren. Sein frühestes Lied – »Heiliger Himmel«, entstanden 1901 – stammt von einem Sech-zehnjährigen, der noch keinerlei musiktheoretischen Unterricht genossen hatte. Selbstverständlich sind diese Lieder Vorbildern verpflichtet – Franz Schubert, Johannes Brahms, Hugo Wolf –, sie zeigen aber von Anfang an die Neigung zu harmonischer Differenzierung und wechselnder Deklama-tion. Das einfache Lied (im strengeren Sinne), also das Strophenlied mit seiner geschlossenen, schlichten Melodik, spielt kaum eine Rolle. Der jun-ge Berg zieht kompliziertere Gebilde vor, bis hin zu Gedichten, die als Lieder im traditionellen Sinn kaum mehr vertonbar sind. Inhaltlich über-wiegen Liebeslieder, daneben Lieder, deren Hauptempfindung der Ab-schiedsschmerz oder die Todessehnsucht ist. Die Verschränkung dieser Gefühle, dazu noch eine eigentümliche Sinnlichkeit, ist überhaupt für die Zeit der Wiener Moderne charakteristisch und entspricht wohl auch der Stimmungslage des aus künstlerisch aufgeschlossenem, bis zum Tod des Vaters wohlhabendem Hause stammenden Jünglings, der in der Welt der Großstadt aufwächst. Es gehörte zur damaligen Lebensform, seine Gefühle auszudrücken, wohl auch sie selbst (und ihren Ausdruck) zu genießen. Und wo die Gefühle nicht da waren, konnten sie auch simuliert werden. Das hatte jedoch Berg, der ein sensibel empfindsamer Jüngling war, nicht nötig...

Mit der Schule gab es mancherlei Schwierigkeiten; es scheint, als habe der junge Mann nach dem Tod des Vaters den Halt verloren. Schönberg kam also in mehr als einer Hinsicht eine bedeutende Rolle zu. Er hat sie bewunderungswürdig ausgefüllt. Berg arbeitete bei ihm sämtliche theoretischen Fächer mit großem Fleiß, peinlicher Korrektheit und nie nachlassender Ausdauer, jahrelang. Bis alles, was lehrbar war (und noch vieles mehr), gelernt war. Schönbergs Kompositions-Unterricht konzentrierte sich auf den instrumentalen Satz, Berg jedoch brachte stets die nebenher komponierten Lieder mit und besprach sie mit seinem Meister, was nicht selten zu Veränderungen führte. Am Ende des Unterrichts stehen dann auch *Vier Lieder* op. 2, deren eines die von Franz Marc und Wassily Kandinsky herausgegebene Programmschrift *Der blaue Reiter* (1912) zieren sollte. Danach spielte die Gattung des Liedes für Berg keine Rolle mehr (übrigens auch nicht für Schönberg).

In Bergs Liedern komponierte – vom Talent ihres Autors abgesehen – Jugend und Lenz. Die Quelle der Inspiration war das lebhaft bewegte Gefühl, die aufgewühlte Empfindung. Die Singstimme, die nur ausnahmsweise geschlossene Liedweisen vorträgt, ist eingebettet in Harmonie, vielfach auch in aparte harmonische Wendungen, wie die Zeit um 1900 sie liebte. Man kann an diesen Jugendliedern sehen, wie sich der Geschmack des jungen Komponisten entwickelte, daß er mehr und mehr auch auf den literarischen Rang sah, nicht mehr nur auf die Inhalte. Neben reizvollen Texten etwa von Johannes Schlaf sind es vor allem Gedichte des Kosmikers Alfred Mombert – von den *Vier Liedern* op. 2 sind drei Mombertvertonungen – und Peter Altenbergs. Die Miniaturen dieses Dichters, eines Bohemiens, Natürlichkeitsapostels und Frauenanbeters, waren genau das, was Berg benötigte: Prosa, durch welche antike Versmaße durchschimmern. Also hohe, anspruchsvolle Dichtung und zugleich deren Gegenteil. Nicht die Gefühle der Personen von Stand waren Inhalte dieser Dichtung, auch nicht die der kleinen Mädchen, die er ebenso gerne andichtete wie Schauspielerinnen, es waren die, die der Dichter bei den kleinen Mädchen zu finden hoffte, also große edle Gefühle, etwas verkleinert, aber dafür ohne Verformung durch Konventionsdruck. Er war eben ein Romantiker der Großstadt. Nichts konnte Berg sympathischer sein, als eine solche Verkennung der Realität, eine solche Idealisierung. Nie hat Berg von dieser Gesinnung gelassen! Ohne sie hätten die beiden Opern *Wozzeck* und *Lulu* nicht das werden können, was sie geworden sind: musikalische Meisterwerke, die auch menschlich bewegen, Zeugnisse von Humanität. Hans Ferdinand Redlich, der Berg-Biograph und Inaugurator der »International Alban Berg Society«, nannte sie daher nicht gänzlich zu Unrecht »Opern des sozialen Mitleids«.

Es kann hier nicht meine Aufgabe sein, die Biographie Bergs zu erzählen und die Werke einzeln Revue passieren zu lassen. Die Ausstellung zeigt Dokumente des Lebens und des Schaffens, der Katalog gibt jedem Interessierten reiches Material an die Hand mit weiterführenden Hinweisen und Erläuterungen. Hier kann es nur darum gehen, Bergs *Leistung als Komponist* zu verdeutlichen, das, was seinen Rang unter den Meistern der Musik unseres Jahrhunderts sichert.

Das ist zunächst seine Leistung als Opernkomponist, als – trotz *Salome* und *Fernem Klang* – ganz neue Wege gehender Opernkomponist. Es ist schon bemerkenswert, daß Berg, dessen Sinn für literarischen Rang untrüglich war, von Theateraufführungen zur Komposition angeregt wurde, nicht etwa von bloßer Lektüre. Das Literarische, das Theatralische und das Musikalische wurden ihm zur Einheit, und zwar auf einem neuen Niveau. Selbst Schönberg, der Berg (und dessen Arbeit) wirklich gut kannte, war davon überrascht. In einem Brief an Emil Hertzka, den Direktor der Universal-Edition, schrieb er Ende Oktober 1921, also nach Beendigung der Komposition, aber vor Beginn der Ausarbeitung der Partitur: »Lieber Herr Direktor, ich muß Ihnen schleunige Mitteilung machen von einer großen Überraschung. Alban Berg hat mir vorgestern seine fertige Oper ›Wozzeck‹ gezeigt. Ich habe nun allerdings als sicher angenommen, daß Berg etwas Talentvolles zusammenbringt, aber doch meine großen Zweifel gehabt, ob er etwas wirklich theatermäßiges zusammenkriegt. Und das ist nun die große Überraschung. Das ist eine Oper!! Eine echte Theatermusik! (...) Ich bin sicher, daß der vor allem – das bezieht sich auf den Stoff – ein bedeutender Erfolg wird (obwohl die Musik gut ist!). Ich habe einen ausgezeichneten Eindruck davon bekommen. Da sitzt alles so tadellos, als ob Berg nie etwas anderes geschrieben hätte, als Theater-Musik.«

Hoher und niederer Stil verbinden sich in der Musik zu einer Einheit, das heißt großer pathetischer Stil – etwa im Gebet der Marie zu Beginn des dritten *Wozzeck*-Aufzugs – mit der Vulgärmusik der Schenkenszenen. Und um den armen gequälten Wozzeck trauert im letzten Zwischenspiel der Oper alle Kreatur. An einer wenig auffälligen Stelle zitiert die Musik die der *Gurrelieder* Schönbergs, die Musik der Trauer des Königs Waldemar um seine gemeuchelte Geliebte: »Der König öffnet Toves Sarg...« Vor dem Tod sind, so gibt Berg zu verstehen, alle gleich, König und Offiziersbursche.

Die musikalische Versöhnung von Gegensätzen ganz verschiedener Art gehört überhaupt zu Bergs ganz großen Leistungen. Die verschiedenen Tonfälle in den den Opern zugrundeliegenden Dichtungen von Büchner und Wedekind – gerade sie sind es, die die Theaterstücke damals als modern erscheinen ließen – bindet Berg durch musikalische Konstruktion, das heißt: durch strenge Strukturierung und formale Gliederung ermöglicht er die Darstellung der verschiedenen Tonfälle, die die Personen nicht nur als Individuen, sondern auch (und dies sogar hauptsächlich) als Sozialcharaktere charakterisieren. Im *Wozzeck* geht diese Charakterisierung bis an die Grenze der Sprachlosigkeit (sowohl bei Marie wie bei Wozzeck), in der *Lulu* bis hin zum bedeutungslosen Geplapper. Die strenge Durchformung der Musik und ihre Form – zwei durchaus verschiedene Dinge – ermöglichen einen außerordentlichen Reichtum an der Oberfläche, in den Details. Die von Berg selbst genannten Formen bezeichnen eben Verschiedenes: bisweilen die Satzstruktur – so z.B.»Passacaglia« –, bisweilen die Satztechnik –»Invention über einen Rhythmus« –, bisweilen den musikalischen Außenhalt (z.b. im Marsch oder in den Ländlern), bisweilen auch Charaktere. Also auch hier größte Vielfalt und reichste Differenzierung und eine unerhörte Kraft zur Synthese.

Dies ist eine der ganz großen Leistungen des Komponisten Berg. Gewiß finden sich auch bei anderen Komponisten die Formen der sogenannten Absoluten Musik in Opern. Neuerdings etwa ist bekannt geworden, daß Hindemiths erster Oper, dem Einakter *Mörder, Hoffnung der Frauen* (nach einer Dichtung von O. Kokoschka), der Plan einer viersätzigen Symphonie zugrunde liegt, und Franz Schreker hat dies auch (wenn auch erst später) von seiner Oper *Der ferne Klang* behauptet. (Von ihr hat bekanntlich Berg den Klavierauszug gefertigt.) Bergs Leistung ist dagegen ganz anderen Ranges, hat er doch nicht nur»Formen« nachgebildet, sondern je nach der gegebenen Situation Formprinzipien auf verschiedenen Ebenen des Werkes, in ganz verschiedenen Bereichen verwirklicht. Er hat zwar auch – wie Hindemith (und sehr im Gegensatz zu Schönberg) – Formpläne gefüllt, aber auf die unterschiedlichste Weise, gänzlich unschematisch. Daß Berg dazu in der Lage war – kein anderer Komponist kommt ihm hier gleich –, ist eine Konsequenz seiner unerhörten Satzkunst, die ihn Probleme bewältigen ließ, die anderen Komponisten von Rang unlösbar erschienen. Vor allem war dies bei dem Problem der großen instrumentalen Form in freier Atonalität, vor dem selbst Schönberg versagte, der Fall. Unter diesem Aspekt erscheint vor allem das Streichquartett op. 3 von ganz außerordentlicher Bedeutung: es ist das einzige große instrumentale Werk im Bereich der sogenannten freien Atonalität vor dem Ersten Weltkrieg, das ohne außermusikalische Stütze – einen Text, ein Programm, vorgegebene rhythmische Muster – auskommt. So war es gewiß keine Übertreibung, als Schönberg in seinen Erinnerungen an Berg schrieb:»Eines ist sicher, daß sein Streichquartett mich in unglaublichster Weise überraschte durch die Fülle und Ungezwungenheit seiner Tonsprache, die Kraft und Sicherheit der Darstellung, die sorgfältige Durcharbeitung und die bedeutende Originalität.« Dieses Lob Schönbergs für eine Komposition eines Schülers ist unwiderleglich beweiskräftig.

Noch ein Wort zur Frage der Atonalität respektive der Tonalität bei Berg. Atonalität bedeutete für Berg niemals einen Gegensatz zur Tonalität, sondern stets nur deren Erweiterung, deren umfassendere Darstellung unter Einbeziehung neuer Kunstmittel (wie vor allem vieltöniger Klänge). Darum brauchte er auch niemals auf tonale Elemente in seiner Tonsprache zu verzichten, vor allem auf Terzen und insbesondere Terzschichtung der Akkorde; nicht einmal auf die traditionellen konsonanten Dreiklänge. Er hat die Klänge sogar gelegentlich nach ihrer Entstehungsweise systematisiert.

Selbst innerhalb des Bereichs der Zwölftonkomposition, die ihm niemals eine mit zwölf nur aufeinander bezogenen Tönen (wie Schönberg oder Webern) war, hat er tonsystemlich differenziert. Dur- und Mollcharakter, Pentatonik und Chromatik, alles hat seine eigene musikalische und poetische (oder semantische) Bedeutung. Niemals hat er versucht, allen zwölf Tönen gleiches Recht zu geben, sie jederzeit gleichzuberechtigen. Im Gegenteil! Aber das heißt selbstverständlich noch lange nicht, daß seine Werke im Sinne der Tradition als schlicht tonale gedeutet werden könnten...

Das ist auch nicht nötig, da sie auch ohne eine derartige Deutung verständlich sind, ihr Inhalt deutlich ist, dessen Darstellung faßlich. Bergs Musik erscheint in ihrer Durchartikulation stets beredt, ihr Sprachcharakter unverkennbar. Alles, was sie der Tradition verdankt, wird vom Hörer verstanden. Die traditionellen Elemente der Tonsprache sind verschiedenartig und vielgestaltig. Sie reichen von direkten Zitaten bis zu überkommenen, Außenhalt gewährenden Rhythmus-Mustern. Die vielfältigen Zitate erfüllen in Bergs Musik eine wichtige Funktion, bisweilen sind sie deutliche Hinweise – wie etwa das Wagner- und das Zemlinsky-Zitat in der *Lyrischen Suite* –, bisweilen sind sie tief eingelassen in die Konstruktion des ganzen Werks wie im Violinkonzert oder im dritten *Lulu*-Aufzug. Ob die Texte der jeweiligen zitierten Melodien vom Hörer mitassoziiert werden sollen, das ist eine Frage, die von Fall zu Fall verschieden beantwortet werden muß: im Violinkonzert hat Berg den Choraltext durch Eintragung in die Partitur deutlich gemacht, also als für das Verständnis des Werkes wichtig erklärt, durch Nichterwähnung der Ländlerquelle (und des Textes) hat er zu verstehen gegeben, daß dieser unerheblich ist. Zitat ist also nicht gleich Zitat! Ein jedes einzelne bedarf eigener Deutung.

Bei Berg aber spielen nicht nur die zitierten Charaktere, deren leichtest erkennbare eben die Zitate sind, eine wichtige Rolle, sondern auch die gleich zu Beginn der Arbeit skizzierten Baupläne. Mindestens ebenso wichtig für das Verständnis des ersten Satzes des *Kammerkonzerts* wie etwa die Mitteilungen darüber, welche Freunde in den einzelnen Variationen charakterisiert werden sollen – der Pianist Eduard Steuermann in seinem Klaviersolo, dann Rudolf Kolisch und Erwin Stein, schließlich alle anderen, die hinterherlaufen (daher die kanonische Bildung) –, ist die Formdisposition, die bis auf die Taktzahl (und auch sonst in vielen Einzelheiten) vorgängig festgelegt ist. Wer nun das außermusikalisch Inhaltliche, die musikalischen Porträts für das auch musikalisch inhaltlich Relevante hält, sollte sich daran erinnern, daß Berg vor der Öffentlichkeit den Formplan erläutert hat, daß ihm dieser also als das für dieses Werk entscheidend Wichtige erschienen ist, und nicht etwa die individuelle Benennung der Charaktere, die ihm, auch ohne daß der biographische oder der persönliche Bezug deutlich wird, als musikalische Charaktere erkennbar (und mithin verständlich) erschienen sind. Berg unterschied eben – bei aller Verschränkung – deutlich zwischen der Privat- und der Kunstsphäre! Vielleicht, wahrscheinlich, übte er eine luzide Form von Mimikry!

Überall, bei der Frage der Form, der der Tonalität, der der Semantik, allenthalben muß differenziert werden! So auch bei der Frage des Textvortrags. Im Schlußstück der *Symphonischen Stücke aus der Oper Lulu* stellt es Berg den Interpreten anheim, ob die Schlußworte der Gräfin Geschwitz gesungen werden sollen (oder nicht): im Mittelsatz, dem Lulu-Lied, muß selbstverständlich gesungen werden, im ersten Satz, im Alwa-Rondo sind jedoch Lulus Worte »eingezogen«, das heißt, das, was in der Oper gesungen wird, wird hier von einem Instrument gespielt. Berg hat also – das ist hier aus gegebenem Anlaß besonders hervorzuheben – gelegentlich singbare Melodien von Instrumenten vortragen lassen (wie übrigens auch viele andere Komponisten, wie Strauss, Pfitzner, Hindemith, von Bach erst gar nicht zu reden).

In all den Aspekten, um derentwillen die Musik Alban Bergs der Avantgarde um 1950 als veraltet (um nichts Schlimmeres zu sagen) galt, erscheint sie heute einer neuen Generation als besonders aktuell. Ob indessen heute mehr als Äußerliches wirkt, das läßt sich jetzt noch nicht verbindlich sagen. Aber der Streit um das sogenannte richtige Verständnis ist ohnehin subaltern – jedermann hält selbstverständlich seine Art des Verständnisses für die richtige –, wichtig ist nur, daß das Werk weiter das ihm gebührende Interesse findet und die Tradition nicht abreißt.

Genug der musikalischen Details! Wer das Werk des Komponisten Alban Berg angemessen würdigen will, darf nicht vergessen, daß dieser in seiner Zeit meist gegen den Strom geschwommen ist, er also gerade nicht dem frönte, was so gerne künstlerische Aktualität genannt wird.

In der Zeit der Hochblüte des Expressionismus, um 1914, ersann er konstruktive Verfahren, die selbst Schönberg zu konstruktiv waren – er empfand nicht deren innere Notwendigkeit –, als der Expressionismus bereits obsolet geworden war und man schon lange vom Neuen Menschen, einer Neuen Wissenschaft, einer Neuen Kunst träumte, 1921, schuf er eine expressionistische Oper, das Hauptwerk des musiktheatralischen Expressionismus, als sich um 1925 die Kammermusik längst neobarock gebärdete, schrieb er seine *Lyrische Suite*, eine »latente Oper«, wie sein Schüler und Freund Theodor Wiesengrund-Adorno (der in die mittlerweile enthüllten Hintergründe ohnehin eingeweiht war) sagte, und in der Zeit der Neuen Sachlichkeit, Ende der zwanziger Jahre, veröffentlichte er ungetrübt romantische Jugendlieder: und sein letztes großes Werk, die Oper *Lulu*, ist Jugendeindrücken verpflichtet, Karl Kraus, Weininger, Altenberg, der im Ersten Weltkrieg untergegangenen Welt des Fin de siècle, als sich das Leben der Neureichen, das heißt der durch Geschäfte zu Reichtum Gekommenen in Sälen in deutscher Renaissance abspielte. So war es, wie jüngst veröffentlichte Bilder zeigen, in Bergs Elternhaus, als der Vater noch lebte, so ist es in *Lulu*. Diese Welt ist zerfallen, unwiederbringlich dahingegangen, aber in der Erinnerung lebte sie bei Berg fort in ihrer Mischung aus Kunstreligion, Konvention, Schönheitsdurst, Erotismus, Doppelmoral, Prunksucht und der Neigung, durch Kritik dies alles als scheinhaft und verlogen aufzudecken. Berg hat von dieser Stimmung stets etwas bewahrt – er selbst kam ja gesellschaftlich nicht von unten –, hat sich nie gelöst – eine solche Lösung hätte ihm wahrscheinlich als Verrat gegolten –, sondern ihr die Treue gehalten. Er gehörte nicht zu der Sorte von Menschen (Opportunisten), die bloß, weil die eigene Position verloren ist und sich nicht halten läßt, zum siegreichen Gegner überläuft. Er blieb Bürger, auch auf verlorenem Posten. Er hielt der Welt seiner Herkunft die Treue, und Treue war ihm das Wichtigste in allen entscheidenden Fragen.

»Sei treu!«, dieses Zitat aus der *Götterdämmerung* hat er einem Schüler, von dem er vermutete, daß er wanke, zugerufen. Es gilt als verpflichtendes Motto für alle, die erkannt haben, *wer* er war, unabhängig von allem Äußeren, vom Erfolg, von Aktualität und Betriebsamkeit. In diesem Sinne wollen wir des großen Künstlers Alban Berg gedenken. Jeder einzelne mag prüfen, ob er dem durch die Werke gestellten Anspruch genügt.

Der frühe Hindemith

Wenn, wie gesagt worden ist, das Spätwerk über den Rang eines Künstlers entscheidet, so wird der volle Umfang einer Begabung, die genetische Mitgift, im Frühwerk sichtbar. In ihm deutet sich im zeitüblichen Traditionsgut nicht nur das an, was später weiterentwickelt und womöglich dadurch gesteigert und bereichert erscheint oder überhaupt erst entwickelt werden mußte, sondern auch das, was nicht weiterwirkte, was, vielleicht unbeabsichtigt, vernachlässigt wurde, schließlich auch verkümmerte. Auch läßt sich aus dem, was noch fehlt, erschließen, was sich bewußter Arbeit verdankt, und bei mancher Eigentümlichkeit, die sich später nicht mehr findet, wird bedacht werden müssen, ob sie nicht absichtsvoll ausgeschaltet wurde. In jedem großen Frühwerk findet sich dergleichen. Hindemiths Frühwerk, das erst nach und nach durch die Arbeit an der Gesamtausgabe aus dem Nachlaß des Komponisten bekannt wird, ist vielleicht für Untersuchungen dieser Art wie kaum ein anderes geeignet.

Dieses Frühwerk hat jüngst, d.h. vor anderthalb Jahren, in Gerd Albrecht, dem bekannten Dirigenten, einen vehement argumentierenden Anwalt gefunden. Auf die Schallplattenhülle der ersten Aufnahme der *Orchesterlieder* op. 9[1], einem jener Werke, die durch die Gesamtausgabe erschlossen wurden, ließ er drucken:

»Warum zum Teufel wollte der ältere Hindemith nichts, aber auch gar nichts, von seinen Jugendwerken wissen? Man verzeihe, wenn ich Luzifer gleich im ersten Satz einführe; denn ich erinnere mich noch genau, wie apodiktisch scharf mich Hindemith abfahren ließ, als ich 1963 die Erstfassung des Cardillac aufführen wollte. Ein Jahr zuvor hatte ich unter seiner Obhut zur 2000-Jahrfeier der Stadt Mainz den Mathis einstudiert. Gelassen und großzügig war Paul Hindemith in der Zusammenarbeit. Mir erschien die Instrumentation des Mathis – bei allem Respekt vor Hindemiths Genie – manchmal etwas ›mehlig‹. Ich machte viele Änderungsvorschläge, einmal zur instrumentalen Klarheit, dann um die Stimmen der Sänger nicht zuzudecken. Immer oder fast immer war Hindemiths Antwort: ›Lassen sie's uns probieren – ja, das geht!‹ Woher dies scharfe ›Nein, Nein, Nein‹ für das Frühwerk? In welche Tabuzonen war ich eingebrochen? (...) Die Kulturgeschichte, und die Literatur- und Kunstgeschichte mehr als die Musikgeschichte, sind voll solcher Verdrängungen, voll ›unbewußten Strebens‹ und damit, wie ich im Fall Hindemith meine, einfach krasser Fehlurteile des Autors über sein eigenes Werk.

---

1   Wergo, Mainz 1985 (WER 60 106).

Wo sprühen, außer beim ganz jungen Strauss und dem Schönberg der ›Gurrelieder‹, so expressionistische Funken wie im Hindemithschen Triptychon? Die brutalen Bekenntnisse zur Konsonanz zwischen und nach zersplitternden Dissonanzen in der Sancta Susanna – mußten sie nach dem Dogma von Donaueschingen und Baden-Baden Jugendsünde werden? Wen stören die Brahms- und Reger-Assoziationen der Lustigen Sinfonietta? Wie kann man das (für mich) schönste Liebesgedicht unseres Jahrhunderts (›Es geht ein Weinen durch die Welt‹ von E. Lasker-Schüler) so genial wie Hindemith vertonen und es dann im Panzerschrank versenken? Fragen über Fragen; Hindemith kann keine Antwort mehr geben.«

Es ist schön, einen Interpreten derart von seiner Aufgabe überzeugt, von den Werken, denen er dienen will, begeistert zu sehen, liefert er doch gute Gründe für eine Veranstaltung wie die hiermit zu eröffnende Tagung. Den Begriff des Frühwerks faßt Albrecht freilich großzügig. Die Oper *Cardillac* op. 39, komponiert 1925–1926, gehört ihm noch dazu. Sie ist ein Hauptwerk, und so kann sie gewiß als Abschluß und Zusammenfassung einer zu ihr hinführenden persönlichen Entwicklung gelten. Das entspräche etwa den beiden ersten Schaffensphasen, die Günther Metz als Ergebnis seiner breiten Darstellung des Hindemithschen kontrapunktischen Satzes[2] zu bestimmen suchte. Seine erste Phase reicht bis zum Jahr 1921, also bis zur einaktigen Oper *Sancta Susanna* op. 21 (Anfang 1921), während sonst eher die erste Fassung des Liederzyklus *Das Marienleben* op. 27, komponiert 1922/23, als Wendepunkt gilt. Als »Schlüsselwerke der Stilwende« nennt Metz die Cellosonate op. 11,3 und das Quartett op. 16.

Eine »plötzliche Wendung«, eine »neue radikale Handschrift« erkannten bereits die Herren Verleger im April 1920 angesichts der Klaviersonate op. 17 und der Lieder op. 18. Den Eindruck der plötzlichen Neuorientierung suchte der Komponist in einem inhaltsreichen Brief an die Verleger vom 11. April 1920 zu mildern, indem er Einzelheiten des Neuen in früheren Werken, die ihm wichtiger waren, vor allem im Quartett op. 10 und in einigen Sonaten aus der ersten großen Sonatenreihe (op. 11), anführte. Hindemith sah sich hier selbst auf dem Weg der Entkonventionalisierung, und so konnte er in gesundem Selbstvertrauen schreiben: »In meinem neuen Quartett [gemeint ist das Quartett op. 16] und vor allem in den neuen Liedern, ist es mir zum erstenmal gelungen, was ich schon immer wollte, aber nicht konnte«[3]. Das Neue, was ihm hier in den Liedern op. 18 zum

---

2   Günther Metz, *Melodische Polyphonie in der Zwölftonordnung. Studien zum Kontrapunkt Paul Hindemiths*, Baden-Baden 1976.
3   Paul Hindemith, *Briefe*, hg. von Dieter Rexroth, Frankfurt 1982, S. 94.

ersten Male gelungen ist, ist eine Konsequenz der allmählichen Lösung
von den Bindungen der Tonart, die es ihm jetzt erlaubt, grundsätzlich auf
Vorzeichen am Anfang zu verzichten und, was vielleicht noch wichtiger
ist, die Dissonanzen den Konsonanzen insoweit gleichzustellen, daß sie als
Schlußklänge tauglich werden: fünf von acht Liedern schließen auf diese
Weise mit Dissonanzen[4]. Die von Hindemith in diesem Brief genauer an-
gegebenen Stellen aus seinen früheren Werken zeichnen sich jedoch vornehmlich entweder durch kontrapunktische Arbeit aus oder durch klangliche Abstraktion oder auch durch beides gemeinsam. Das Fugato des ersten
Satzes seines f-Moll-Quartetts, das dem gelehrten Kritiker Alfred Einstein
parodistisch motiviert dünkte[5], ist gekennzeichnet durch eine Verbindung
von chromatischer Intervallfüllung – das melodisch gefüllte Intervall ist
hier stets der Tritonus resp. die verminderte Quint – und einer an älteren
Vorbildern orientierten Rhythmik, die die taktrhythmische Differenzierung
weitgehend aufhebt. Eine derartige Verbindung von kontrapunktischer
Satzanlage und vereinfachter Rhythmik ist auch für den von Hindemith
genannten Stretto des Finales desselben Quartetts charakteristisch. Auch
der Hinweis auf die Bratschensonate op. 11,4 und den zweiten Satz der Es-
Dur-Violinsonate op. 11,1 weisen in diese Richtung: Vereinfachung des
Taktgefüges, Verselbständigung der Melodik gegenüber der Harmonik
durch Verknüpfung selbständiger Stimmen. Dies findet seinen Ausdruck
sogar in der Notation (z.b. H-Dur gegen es-Moll in Takt 6 des 2. Satzes
von op. 11,1). Daß (und in welchem Ausmaß) Hindemith das Taktgefüge
absichtsvoll vereinfacht, zeigt jedoch schon der erste Satz des f-Moll-
Quartetts mit seinen unmotivierten Taktwechseln.

---

4   Das war im Jahre 1920 für einen Komponisten, der sich u.a. am Neuesten ori-
    entiert und der Schönbergs *Harmonielehre* bereits studiert hatte, naheliegend.
    Es lag in der Luft. Auch die Musikgelehrten, sofern sie ihre Ohren nicht dem
    Neuen verschlossen, haben es bemerkt, so Erich M. von Hornbostel in seiner
    Studie über *Melodie und Skala* (*Jahrbuch Peters für 1912*, 1913, jetzt auch in:
    ders., *Tonart und Ethos, Aufsätze zur Musikethnologie und Musikpsychologie*,
    Leipzig 1986, insbes. S. 62): »(...) was heute noch als Durchgang oder Vor-
    halt, wird morgen als Klang von selbständiger Bedeutung verstanden. Den
    Reichtum tonaler Nuancen hat das Melos dem Zusammenklang geopfert. Aber
    seine charakteristischen Gestalten sind durch anderes bestimmt: durch den
    Rhythmus und das Auf und Ab im Tonraum.«
5   Vgl. Kurt Dorfmüller, *Alfred Einstein als Münchener Musikkritiker*, in: *Fest-
    schrift Rudolf Elvers*, Tutzing 1985, S. 117–155, bes. S. 145f.

Von besonderem Interesse ist Hindemiths Hinweis auf die A-Dur-Variation des 2. Satzes desselben Quartetts, die nichts anderes als ein kleines Charakterstück ist. Die Vortragsbezeichnung »Im Zeitmaß eines langsamen Marsches. Wie eine Musik aus weiter Ferne« verrät die Intention: eine Musikart, die im Orchester (oder gar in der Harmoniekapelle) heimisch ist, wird in die strengste Gattung der Kammermusik, die damit aufhört, es zu sein, eingeführt. Der Marschcharakter wird dabei nicht nur durch rhythmische Muster konstituiert, sondern durch eine von Kolorismus bestimmte unterschiedliche Ausarbeitung der einzelnen Stimmen, besonders der Cellostimme (mit ihrem chrakteristischen Pizzikatovorschlag).

Eine ins Detail gehende Analyse des ganzen Quartetts könnte sicher noch manche interessante Einzelheit erkennbar werden lassen. Immerhin mag auch so deutlich werden, daß dieses Werk – es ist das erste selbständige des seiner Sache mittlerweile sicheren Komponisten, das er seinem Kompositionslehrer Bernhard Sekles nicht mehr vorgelegt hat – viel der Orchestermusik verdankt, also nicht unmittelbar der Tradition der klassischen und nachklassischen Quartettkomposition.

Vereinfachung und Stilisierung – letztere jedoch nicht im Sinne von Verfeinerung aufgefaßt – werden erstrebt. Die üppige orchestrale Pracht des vorangehenden Werkes, der *Orchesterlieder* op. 9, das wohl unmittelbar Gustav Mahler und Franz Schreker verpflichtet ist, – sie wird noch in den einaktigen Opern, insbesondere in der letzten, *Sancta Susanna* op. 21, wirkungsvoll eingesetzt – erscheint im Quartett nicht vergessen, vielmehr wirkt sie als absichtsvoll negiert. Damit ist eine Gegenposition zur damals fortgeschrittensten Moderne erreicht. Diese Gegenposition sollte nun zum Ausgangspunkt von Hindemiths weiterer Entwicklung werden. Sie bildet die Basis von Hindemiths künftigem Schaffen, aller von ihm selbst als gültig anerkannten Werke. Was also zunächst als naturhaft einfach, kraftvoll-jugendlich angesehen wurde – und es in gewisser Weise, trotz allem, nebenher auch ist –, erscheint jetzt, nach dem allmählichen Bekanntwerden der Kompositionen aus Hindemiths Lehrzeit bei Sekles, als Ziel von Entwicklungen, vielleicht auch als Umschlag oder gar als fester Ruhepunkt nach den verschiedenartigsten Versuchen, als neue Stufe auf dem Weg zur Eigenständigkeit.

Ein Vergleich mit Igor Strawinskys Schaffen nach *Le sacre du printemps* oder Béla Bartóks Wendung zwischen den beiden Violinsonaten liegt nahe. Auch Schönbergs Weg von dem Oratorium *Jakobsleiter* zur Serenade op. 24 spiegelt dieselbe Zeitsituation, einen Umbruch größten Ausmaßes.

Man hat diesem Umbruch die verschiedensten Namen gegeben, je nach dem Standpunkt, der vom jeweiligen Betrachter eingenommen (oder für progressiv gehalten) wurde. Das mag hier auf sich beruhen. Wichtig ist nur die Erkenntnis, daß dieser Umbruch im Werk Hindemiths genauso sichtbar wird wie in dem der genannten Komponisten, daß er – hier wie dort – sich nicht plötzlich, sondern in einem langwierigen Vorgang, in sich jeweils nach den verschiedenen musikalischen Gattungen (und musikalischen Zweckbestimmungen) auf unterschiedliche Weise stufen- resp. abschnittweise vollzogen hat.

Sehr kompliziert dürfte eine Beantwortung der Frage nach der Beziehung zu fremdem und ephemerem Traditionsgut sein, inwieweit es sich um bewußt gepflegte Beziehungen oder absichtliche Veränderungen handelt. Zwei Momente sind dabei hier im gegebenen Fall bedeutsam:

1. Hindemith bezieht in seine Arbeit Charaktere der niederen Unterhaltungsmusik und der neuesten Tanzmusik ein. Er bietet seinem Verleger sogar derartige Stücke zur geschäftlichen Verwertung an (worauf dieser aber nicht eingeht)[6]. Es dürfte kaum zweifelhaft sein, daß in die Klavierwerke op. 15 (*In einer Nacht*), op. 19 (*Tanzstücke*) und op. 26 (*Suite 1922*) dergleichen Sätze (vielleicht in mehr ausgearbeiteter Gestalt) eingegangen sind. Aber auch in anderen Werken finden sich Folgen dieses Kontaktes. Warum er dies getan hat – wahrscheinlich aus Bedürfnis nach frischer Luft –, darüber ist viel geschrieben worden, vor allem in der Zeit, als Werke wie die *Suite 1922* oder die »Foxtrott-Kammersymphonie« (Alfred Heuß) noch von Skandalen umwittert waren.

2. Anlehnungen, Zitate und Übernahmen spielen bei Hindemith, gerade im frühen Werk, eine erhebliche, vielfältige Rolle. Das erste der *Orchesterlieder* op. 9 beginnt wie Mahlers *Lied von der Erde*, das Finale des Quartetts op. 10 hat ein Thema, dessen sehr auffälliges rhythmisches Grundmuster dem Hauptthema der sechsten *Ungarischen Rhapsodie* von Franz Liszt nachgebildet ist. Das kann kein Zufall sein. Der Anfang des Quartetts op. 16 verarbeitet die unmittelbaren Eindrücke und Erfahrungen bei der Interpretation des ersten Schönbergquartetts: Ohne dieses Vorbild, das freilich charakteristisch abgewandelt erscheint, wäre dieser hinreißende Satz, vor allem das »Thema« gar nicht möglich gewesen. Das parodistische *Tristan*-Zitat im *Nusch-Nuschi*,

---

6 Paul Hindemith, *Briefe*, a.a.O., S. 92.

ein Sakrileg für die Gläubigen der Kunstreligion, gehört in die Kategorie von in jener Zeit beliebten Scherzen, wie Ernst Křeneks Choralsi-
mulierung »Ja, ich glaub an Jesum Christum« (op. 13) mit anhängender
kleiner Suite von Modetänzen. Sie alle haben die gewünschten Schocks
ausgelöst. Mittlerweile sind die Schocks verpufft, die Stücke harmlos
geworden.

Das vielfache Zitat des Liedes »Vom Himmel hoch, da komm ich her«, das
der alte Bach so unvergleichlich kunstreich variierte, im Lied »Mariä Ver-
kündigung« aus dem *Marienleben* op. 27 dient wohl (nach dem Vorbild
der Weihnachtsliedzitate in Liedern von Brahms und Cornelius) vornehmlich der Bereicherung des Assoziationsrahmens, wie die Trompetenimita-
tion in der schönen Trakl-Komposition des op. 18. Gerade im *Marienleben*, dem berühmten Zyklus von Gesängen, der trotz der vorhandenen Literatur weder erschlossen noch angemessen gedeutet ist, wird ein besonders weiter Assoziationsrahmen erkennbar: Formen, Satztechniken, Gattungen, Arten der Textvertonung bestimmen ihn. So bieten sich dem musikalischen Denken zahlreiche Haftpunkte an, ohne daß es selbst diese unmittelbar fruchtbar zu machen vermöchte. Gerade die großen Gesänge, die,
die sich der größten kompositorischen Anstrengung verdanken, bedürften
der vermittelnden Exegese. Denn daß die Formen und die Satzcharaktere
Bedeutungsträger sind, ist unstrittig.

Das führt zu der allgemeineren Frage: sind die Formen, die Stilarten,
die Anklänge, die Zitate absichtsvoll eingesetzte definierte Bedeutungsträger? Was nützt es dem Deuter, wenn er etwa erfährt, daß – um nur ein
freilich besonders signifikantes Beispiel zu nennen – die »Barcarole«, mit
der die kleine romantische Kantate *Die Serenaden* op. 35 von 1924 anhebt,
ein genau benennbares Vorbild hat? – Der instrumentalen Einleitung liegt
nämlich (bisher unbeachtet) das Melodiemodell eines Passepied, genauer:
das Ritornell einer Passepied-Arie Bachs, zugrunde. Diese Arie erscheint
einmal mit dem Text »Zum Tanze zum Sprunge, schon wackelt das Herz«
(aus dem Dramma per musica *Der Streit zwischen Phoebus und Pan*,
BWV 201), ein andermal mit »Dein Wachstum sei feste und lache vor
Lust« (aus der *Bauernkantate* BWV 212). – Wird das Geschäft des Deu-
ters durch diesen Kenntniszuwachs erleichtert, oder genügt es, wenn er,

wie Hans Mersmann es vor mehr als einem halben Jahrhundert getan hat[7],
feststellt, daß hier die Sphäre der Arien Bachs und Händels berührt wird,

---

7   Hans Mersmann in: *Melos* 6 (1927), S. 193; Wulf Konold hat einmal (im *Hindemith-Jahrbuch* 4 (1974), S. 88–96) der kleinen Kantate eigene Betrachtung gewidmet. Konold spricht unter anderem auch vom ersten Stück des ersten Teils und macht bei dieser Gelegenheit Anmerkungen zu Aufbau und Charakter des »Barcarole« betitelten Satzes. Er stellt zwar gewisse Diskrepanzen zwischen Vokal- und Instrumentalpart fest, aber das Ganze ist ihm doch eine »Barcarole«. Aber ist es tatsächlich eine Barcarole? Konold spricht auch von einem instrumentalen Hauptmotiv, von Begleitung der Singstimme durch Oboe und Violoncello usf. Er verkennt das Stück, nicht nur, weil er das Vorbild nicht kennt, sondern vor allem, weil ihm das Formprinzip dunkel bleibt, obgleich Hans Mersmann bereits vor mehr als einem halben Jahrhundert auf die Sphäre hingewiesen hat, in der die Wurzeln dieses neuen Tons, den er mit vollem Recht einen neuen Archaismus nennt, liegen, die der Arie Bachs und Händels mit ihrem »streng gebundenen obligaten Baßinstrument« und, was noch wichtiger ist, mit ihrem Ritornellwesen. Das Ritornell (im Sinne der großen Arie und des Konzerts), das war es doch, was Hindemith in jener Zeit nach dem Vorbild oder nach Anregung von August Halm und Max Reger zu erneuern suchte. An die Stelle dessen, was Schönberg die entwickelnde Variation genannt hatte und was für diesen mit der Vorstellung von musikalischer Logik zusammenhing, trat die Architektur, das Nebeneinanderstellen von kontrastierenden Abschnitten, deren sich entsprechende Formteile zwar nicht identisch sein mußten, deren Verschiedenartigkeit sich aber nicht einer Logik der Entwicklung verdankte, sondern ausschließlich dem Wunsch nach Abwechslung. Damals, in der Zeit der erwachenden Ontologie, wurde gesagt, daß an die Stelle des »Werdens« das »Sein« trete. Das Formprinzip, das in der »Barcarole« der *Serenaden* das musikalische Geschehen bestimmt, ist das des Gegensatzes von Ritornell und Episode. Nicht, daß die Zweistrophigkeit, die der des Gedichts entspricht, bestritten werden könnte, aber sie ist nur eines der wirksamen Formprinzipien und dabei durchaus das sekundäre. Denn bei dieser Formkonstruktion kommt auf jeden Fall dem Ritornell – und das heißt auch: dem instrumentalen Anteil – Priorität zu. Ein musikalischer Gedanke, sei er auch noch so eindeutig vom Text inspiriert, muß episodischen Charakter tragen, wenn er nicht im Ritornell wurzelt. Daher muß auch die Analyse des Satzes stets vom Ritornell ausgehen und nicht von der Gesangstimme. Für die Vertonung eines harmlosen barcarolemäßigen Gedichtes scheint die Ritornellform ungewöhnlich. Das ist fraglos der Fall. Aber es erscheint in den Werken dieser ersten Phase des neuen musikalischen Archaismus vielfach Unvereinbares miteinander verquickt. Wie wäre es sonst möglich, einen Streichersatz

daß von ihr ein für die Konstruktion und die Ausdrucksgestaltung wichtiger Impuls ausgeht, der weit ins Œuvre Hindemiths hineinwirkt?

Vielleicht verbergen sich hier sogar zwei voneinander einigermaßen unabhängige Probleme, das des Inhaltlichen – das schließlich bei einem Werk wie dem *Marienleben*, das den Komponisten sein halbes Leben begleitet hat, nicht vernachlässigt werden sollte – und das des musikalischen Außenhalts. Oder werden auch die Melodien und Konstruktionsprinzipien, die diesen gewähren, selbst Bedeutungsträger? Oder sollen sie es sein, leisten aber nicht, was von ihnen erwartet wird? Oder ist die Anmutung des Komponisten bereits verfehlt?

Fragen über Fragen. Daß hier auf der kleinen Tagung etwas zur Beantwortung der wichtigen Fragen, die Hindemiths Frühwerk aufwirft, (oder doch wenigstens zur Vorbereitung von angemessenen Antworten) beigetragen werden kann, das ist die Hoffnung der Veranstalter und, wie ich gewiß bin, auch der Teilnehmer (und der willkommenen Zuhörer und Gäste).

»Tokkata« zu nennen? Tokkata war stets (und ist es auch heute noch) per definitionem ein Stück für Tasteninstrumente – Klavier, Orgel –, aber niemals eines für Streicherkammermusik. Und doch nannte Hindemith den Cellosoloabschnitt der *Serenaden* op. 35 und den ersten Satz seines Streichtrios op. 34 »Tokkata«, wie übrigens später Strawinsky auch den ersten Satz seines Geigenkonzerts. Aber das Trio ist, wie das *Orchesterkonzert* op. 38, ein Stück, das auf der Ritornellform basiert. Konzert, Tokkata, Barcarole – im *Cardillac* op. 39 tritt auch noch manche andere Form hinzu, z.B. die Arie – bezeichnen eher die Charaktere als die Form (oder das Formprinzip).

Einfachheit oder Vereinfachung?

Zur Musik des jungen Orff*

Gegen Ende des schicksalsträchtigen Jahres 1914 schrieb der damals neunzehnjährige Carl Orff, einem eigenen späteren Bericht zufolge, an einen Freund:»Du erkundigst Dich nach den Treibhausliedern. Die gibt es nicht mehr. Ich habe den ganzen dekadenten Dreck ins Feuer geschmissen« (57). Und zwar im September 1914 (245). Der beinahe achtzigjährige Orff spricht, auf die lange zurückliegenden Ereignisse blickend, von einem »leidenschaftlichen Autodafé« (58). Was war in jenem von Leidenschaften aufgewühlten Monat, dem ersten des Krieges, geschehen?

Der junge Orff hatte längere Zeit an einem »Traumspiel nach Gedichten von Maurice Maeterlinck für Solostimmen, Chor und Orchester«, das er schließlich *Treibhauslieder* genannt hat, gearbeitet. Er charakterisiert im Rückblick die Voraussetzungen dieser Versuche:»Wenn auch hinter allen meinen letzten Arbeiten Debussy stand, so kamen vorübergehend gewisse Einflüsse von Schönberg und von den Geräuschexperimenten der ›Futuristi‹ hinzu, obwohl sie keineswegs gravierend waren« (53). Man· sollte diese Einflüsse – vielleicht wäre es besser, von »Anregungen« zu sprechen – doch auch nicht unterschätzen. Orff selbst gibt eine kurze Beschreibung der Vertonung des Anfangs des ersten Gedichtes »Treibhausstarre«, um einen Eindruck zu vermitteln,»wie die Musik und die Klänge gemeint waren. Von Anfang bis Ende tönte ein geriebenes Glas auf cis, dazu kam eine Tropfvorrichtung, ein großes Tropfglas, das aus einer gewissen Höhe Tropfen in einem bestimmten Abstand in einen klingenden Untersatz fallen ließ. Dieses Tropfen wurde verstärkt durch Töne, die am Klavier in hoher Lage mit Plektron angerissen wurden« (54f.). Werner Thomas, der verständige Kommentator Orffs, bringt speziell die Konzeption eines derartigen Arrangements mit den Bestrebungen der Futuristen in Zusammenhang (130f.). Sicher mit Recht, denn die reine Geräuschkomposition ist durch die programmatischen Äußerungen der Futuristen und auch durch ihre gelegentlichen Darbietungen ins Blickfeld aller im Bereich der Künste Neues Suchenden gerückt worden. Ob jedoch auch die Überlegungen des Futuristen Pratella über eine einzige »atonale Tonart« (136) nachgewirkt

---

* Alle Ziffern in Klammern beziehen sich auf den ersten Band des Werkes *Carl Orff und sein Werk; Dokumentation*, Tutzing 1975.

haben, bleibt zweifelhaft. Es erscheint vielmehr naheliegender, hier eine unmittelbare Nachwirkung von Gedanken Schönbergs zu vermuten. Dafür gibt es immerhin auch sonst Anhaltspunkte.

Eine der den *Treibhausliedern* zugrundeliegenden Dichtungen ist keine andere als das Gedicht »Herzgewächse«, dessen Vertonung durch Schönberg Orff aus dem Almanach *Der blaue Reiter* gekannt hat. Schönbergs Komposition, deren Faksimilereproduktion dem Almanach beigegeben war, diente diesem zugleich auch als Illustration des von Schönberg selbst freimütig dargelegten Verhältnisses zum Text, der Illustration bestimmter beim Gedichtanfang gegebener Stimmungen: die Worte »Meiner müden Sehnsucht blaues Glas« inspirierten ihn zu der außergewöhnlichen Besetzung Celesta, Harmonium und Harfe, wobei das erstgenannte Instrument von besonderer Wichtigkeit ist, während das Harmonium, der Schönbergschen Instrumentations- und Bearbeitungspraxis entsprechend, als Ersatz für Blasinstrumente angesehen werden darf. Die beigegebenen Angaben in der Harmoniumstimme – in der Reihenfolge des Erscheinens: Klarinette, Flöte, Englischhorn, Fagotte, Violoncello, Oboe usf. – bezeugen dies zur Genüge.

Die Celesta spielt nun auch in Orffs Konzeption eine von Thomas hervorgehobene Rolle (135f.). Harmonisches und Klangtechnisches gemahnt Thomas dagegen an Schönbergs *Orchesterstück* op. 16,3 – er nennt es »Farbklang-Stück« –, aber er deutet seine »Verschleierungen und Zerfaserungen« nicht als Abhängigkeit, sondern als, wie er sich ausdrückt, »Parallelphänomene in dem Geflecht des Zeitstils« (134). Das mag sein.

Wird aber auch der für Orff sehr auffälligen, weil ungewöhnlichen Deklamationsarten gedacht – erstens der chromatischen ausgestuften Deklamation (»Mein armes Tun bring ich dir dar«, vgl. 133, s. Beispiel 1), zweitens der gelegentlichen Oktavbrechung der chromatischen Melodie (»und wie im Traum eintönig ist sein Fall«, vgl. 132, s. Beispiel 2) sowie drittens der riesigen, eine Oktav weit überschreitenden Sprünge (»ihr mystisches Gebet«, vgl. 136, s. Beispiel 3) –, so wird doch der große Eindruck, den Schönbergs Kompositionen, insbesondere die *Herzgewächse* op. 20, gemacht haben, greifbar.

Beispiel 1

Mein ar—mes Tun bring ich dir dar

Beispiel 2

und wie im Traum ein – tö‑nig ist sein Fall

Beispiel 3

Ihr my – – – – – – – – sti–sches Ge – bet

Orffs späte Selbstinterpretation:»Ich wußte von Anfang an, daß Schönberg eine mir eigentlich fremde Welt war, vor allem das Verhältnis von Text und Musik war bei ihm so grundlegend anders, daß es für mich keine Brücke gab« (52), für das gebundene Melodram gewiß zutreffend, bedarf im allgemeinen gewiß der Relativierung, der berichtigenden Einschränkung. Wie es scheint, hat sich Orff einige Jahre immer wieder ernstlich mit Schönberg befaßt. Schon vor der Arbeit an den *Treibhausliedern* hat der junge Mann, dem das Akademiestudium offenbar zu wenig bot, Schönbergs eben erschienene *Harmonielehre* (1911) studiert (44), dann *Pierrot lunaire*, der ihm offensichtlich weniger zusagte.»Dagegen fesselte mich«, wie Orff sagt,»die meisterliche Faktur der Kammersymphonie mit dem straussischen Einschlag, aber noch mehr die berühmten fünf Orchesterstücke mit ihrer eminenten Klanglichkeit, wobei mir das dritte wiederum am nächsten stand. Von beiden Werken, der Kammersymphonie und den Orchesterstücken stellte ich, um es nicht bei Analysen bewenden zu lassen, vierhändige Klavierauszüge her, eine eigentlich absurde Idee. Meine Arbeit war über die Auseinandersetzung mit den beiden Stücken hinaus eine Art Huldigung für den Meister, zu dessen Werk ich aber zeitlebens keinen echten Zugang finden konnte, zu wenig, als er auf mein Werk Einfluß hätte nehmen können« (52f.).

So sieht es der Komponist nach sechzig Jahren, rückblickend, nachdem das Lebenswerk getan ist. Aber damals? Wäre es nicht wenigstens denkbar, daß der junge, angehende Komponist, der bisher nur Lieder geschrieben hatte, sich bemühte, auch etwas Instrumentales zustande zu bringen? Warum hat er anschließend noch einmal bei Zilcher und noch später vor allem gerade bei Kaminski Unterricht genommen? Doch sicher nicht, um Probleme der Sprachkomposition zu erörtern oder gar solche des Musiktheaters!

Lag es nicht vielmehr gerade im Zug der Zeit, sich von allen außermusikalischen Bindungen, die seit dem vollständigen Sieg Wagners übermächtig waren, mehr und mehr zu lösen? Sollte Orff von dieser Tendenz auch als junger Mann gänzlich unberührt geblieben sein? Und dies gerade in München, wo doch die Bestrebungen der Münchener Schule gerade in diese Richtung zielten? Daß die Fertigung eines Auszugs der *Kammersymphonie*, deren Erstausgabe im Januar 1913 erschienen ist, vornehmlich als Huldigung gedacht gewesen sei, erscheint eher absurd, als daß es eine eigentlich »absurde Idee« sein soll, einen derartigen Auszug zu schreiben. Schönberg selbst hat einen solchen Auszug geschrieben, dann einen von seinem ehemaligen Schüler Alban Berg, schließlich noch einen weiteren von seinem Schwiegersohn Felix Greissle ausarbeiten lassen (und diesen dann zum Druck gegeben). Zu lernen war gerade an diesem Werk, dessen meisterliche Faktur Orff mit vollem Recht hervorhebt, der dichte instrumentale Tonsatz, der die Konstruktion trägt, deren Form noch nicht als etwas dem musikalischen Geschehen Fremdes oder Äußerliches empfunden wird. Ein solcher Auszug dient dem Spielen: er erschließt das Werk vor allem der eigenen musikalischen Praxis, er ermöglicht das Sicheinleben in die in sich geschlossene musikalische Welt, die sich als Kunstwerk konstituiert. In München verfolgte der im Krieg gefallene Rudi Stephan dieselbe Tendenz: weg vom Außermusikalischen, hin zu einer Musik, die nichts als Musik ist. Wahrscheinlich hat Orff diesen Weg gesucht, aber nicht gefunden. Er konnte sich diese Musik als Musik nicht erschließen, daher wohl auch das über Jahrzehnte hinfort dauernde Gefühl der Fremdheit.

Für die Erkenntnis der Besonderheit von Orffs Begabung mag dies von Belang sein. Sie findet jedenfalls eine gewisse Stütze in Orffs lapidarer Feststellung, die er in die Beschreibung seiner musikalischen Jugendeindrücke einflocht: »Reger lag mir fern« (39). Denn das heißt schließlich: Musik, die grundsätzlich auf jede außermusikalische Stütze verzichtet, lag Orff von allem Anfang an fern.

Orffs intensive und folgenreiche Beschäftigung mit Debussy und Maeterlinck, seine plötzliche Abwendung von ihm, die zugleich eine von den damals avantgardistischen Strömungen war, ist bekannt, weil sie vom Komponisten selbst und von Thomas, der es wissen muß, ausführlich beschrieben wurde. Daß diese Abwendung, deren Begründung durchaus einleuchtend erscheint (und nicht im mindesten bestritten werden soll), ausschließlich aus den genannten Gründen erfolgte, ist jedoch zu bezweifeln. Orff wandte sich ab von Maeterlinck dem »Erzdécadent«, dem »Verführer«, er stürzte sich »zurück in die heimatliche Welt, in die Arme Meister Richards. An Salome und Elektra habe ich mich«, so schreibt Orff in seinen *Erinnerungen*, »geklammert, um mich wieder zu beruhigen« (58).

Salome und *Elektra* als Beruhigungsmittel? als Inbegriff des Heimatlichen? eine kuriose Vorstellung! Jedoch, der junge Orff »haßte« plötzlich Maeterlinck, den »Verführer«, und verlor mit ihm auch den Musiker, der ihm so viel bedeutete, Debussy. Doch bedenken wir den Zeitpunkt: es war im September 1914! Die nationalen Leidenschaften waren in den ersten Kriegswochen in heute unvorstellbarer Weise aufgepeitscht, auch Besonnene und Nachdenkliche, Kritische und Schöngeistige waren von dem als befreiend wirkenden Rausch ergriffen. Und Maeterlinck, der die Andeutungen liebende feinsinnige Poet, stimmte lebhaft in die feindseligen nationalistischen Bekundungen mit ein, stimulierte sie wohl gar und erregte in Deutschland, auch gerade in den Kreisen seiner bisherigen Bewunderer, Haß. (Selbst bei Peter Altenberg![1]) Sollte die Woge der nationalen Begeisterung, die den leidenschaftlichen Haß auf die Feinde einschloß, gerade vor dem Offiziershaus der Orffs in München Halt gemacht haben?

Im Rückblick, im Angesicht des geschaffenen Werkes mußten Orff die eigenen kompositorischen Versuche aus der Zeit unmittelbar vor dem ersten Krieg als Umwege erscheinen, angesichts des Ziels, das schließlich erreicht wurde, waren sie es wohl auch. Es erscheint jedoch nicht überflüssig, darüber nachzudenken, ob nicht auch andere Wege hätten beschritten werden können, andere Ziele erreichbar gewesen wären – vielleicht auch unerreichbar.

Die Art der Begabung, die Verwurzelung des musikalischen Empfindens und Hörens in Klang und Rhythmus – genauer: in rhythmisch belebtem resp. zu belebendem Klang – schloß vielleicht von allem Anfang an zweierlei aus: reich ausdifferenzierte Harmonik und melodische Entwicklung als Träger dessen, was Schönberg den musikalischen Gedanken nannte, der sich nur in entwickelnder Variation entfalten konnte. Orffs Weg wies tatsächlich schon sehr früh in eine bestimmte Richtung. Schon das Lied nach dem (auch von Brahms vertonten) Gedicht von Hermann Lingg, »Immer leiser wird mein Schlummer« op. 8,2 (258f.), das Werk eines Halbwüchsigen, zeigt deutlich, daß die Tonfolge, auf die der Text (gleichförmig) deklamiert wird (und die Melodie zu nennen übertrieben wäre), ihre Rhythmik dem Gedicht verdankt. Keine Spur von melodischem Eigenleben etwa in der Gestalt von Umsetzung einer Sprachmelodie. Die Musik verzichtet auf »Ausdruck«. Es ist schwer zu entscheiden, was bei

---

1 Vgl. *Die Fackel* 18 (1916), Nr. 431–436, 2. August 1916, S. 9f.

den Kompositionen der Zeit vor der Akademieausbildung und vor dem nä-
heren Kontakt mit der wirklich neuen Kunst, vor der Befassung mit
Schönberg, dem Blauen Reiter, Debussy und Maeterlinck Ungeschick, was
absichtsvolles künstlerisches Gestalten ist. Jedenfalls handelt es sich ausschließlich um Lieder... Sollte der junge Mann hier niemals einen Mangel
empfunden haben?

Als der junge Alban Berg – auch er aus gutem Hause und literarisch
beschwingt – zu Schönberg kam, hatte er auch nur Lieder komponiert,
aber Schönberg lehrte ihn, Instrumentalsätze zu schreiben. Gerne wüßte
man, ob ein Lehrer Orffs diesem ähnliche Aufgaben gestellt habe, was da
im über die Harmonie- und Kontrapunktlehre hinausgehenden Kompositionsunterricht gearbeitet wurde. Gerne sähe man einmal die im oder für
den Unterricht geschriebenen Fugen, Variationen, Sonaten! Oder sollte
etwa die Arbeit an Schönbergs *Kammersymphonie* der einzige diesbezüg-
liche Versuch gewesen sein?

Jahrelang hat Orff nach dem Autodafé überhaupt nicht komponiert,
wohl überhaupt keinen Zwang zu künstlerischem Gestalten empfunden.
Durch Theaterarbeit wurde er schließlich zu Bühnenmusiken animiert.
Schließlich entstanden auch wieder Lieder, zunächst nach Gedichten von
Dehmel – der damals, nach dem Krieg, schon als reichlich veraltet emp-
funden wurde –, dann nach Werfel, dem Expressionisten.

Die Werfelvertonungen erlangten eine gewisse Bedeutung für Orffs
Entwicklung: aus den 1920 komponierten Liedern wurden 1930 Chorsätze,
aus einfacher Klavierbegleitung eine reiche Instrumentalbegleitung mit
Klavieren und vielfältigem Schlagzeug. Aus dem hausmusikalischen oder
konzertanten Sologesang wurde Gemeinschaftsmusik. Das ist allgemein
bekannt. Weniger beachtet wurde dagegen Folgendes:

Bei der Komposition des Werfelschen Gedichts »Komm heiliger Geist,
du schöpferisch« (324–327) im August 1920 hat Orff weitgehend ganz
einfach konstruktive Prinzipien der Melodiebildung angewandt, so hat er
z.B. die einzelnen Verse ab dem zweiten, »Den Marmor unsrer Form zer-
brich!«, in folgender Weise melodisiert: e–d–e–c–e–h–e–c, dann: e–h–e–
a–e–g–e–a, schließlich: e–h–e–c–e–d–e–f–e, d.h. Orff hat Liegetöne in der
Gestalt von Tonwiederholungen mit Skalenausschnitten verschränkt (s.
Beispiel 4a).

Beispiel 4a

Daneben gibt es auch Verszeilen mit einfachen Tonwiederholungen oder einfachen Skalenausschnitten. Diese konstruktive Verschränkung, wo sie wirksam wird, hat Orff in der Umarbeitung vollständig getilgt. Er hat an ihre Stelle andere, freilich ebenso elementar wirkende Intervalle gesetzt, vielleicht sogar noch elementarere (s. Beispiel 4b).

Beispiel 4b

Aber er hat das deutlich bemerkbare konstruktive Element in der Melodik getilgt. Der Tonsatz wurde durch diese Änderungen zwar nicht einfacher, aber doch schlichter. Daß es aber ein konstruktives Element war,, ja sogar ein intellektuelles, erklügeltes, das hier als Grundlage wirkte, das mag Orff später gestört haben, weshalb er es, konsequent wie er war, auslöschen mußte. Auf diese Auslöschung ist hier jetzt nicht viel Gewicht zu legen – Orff erschien sie fraglos als Verbesserung –, vielmehr auf das Vorhandensein des Konstruktiven in der Anfangsphase von Orffs neuerlichem Schaffen. Ohne konstruktive Grundmuster kam eben damals niemand aus, der eine Musik schaffen wollte, die die erprobten traditionellen Wirkungsmittel unberücksichtigt läßt. Und sei die Musik auch noch so einfach[2]. Das Element des Konstruktiven ist übrigens auch in rein instrumen-

---

2 Vgl. die umfassende Analyse von Wilhelm Keller, *Orffs Werfel-Lieder*, in: *Melos* 46 (1984), Heft 3, S. 69–99.

talen Stücken, die Orff für Unterrichtszwecke schrieb, deutlich genug. In den beiden Violinduetten, die Orff für das *Geigenschulwerk* von Erich und Elma Doflein[3] geschrieben hat – der Name der Dofleins wird übrigens in der vielbändigen Orff-Dokumentation vermißt! –, sind solche konstruktiven Voraussetzungen leicht erkennbar, sowohl die Tonhöhen als auch die Zählzeitordnung betreffend. Aber hier müßte jetzt die musikalische Analyse einsetzen. Ich umgehe diese Gefahr, indem ich mich ohne weitere Schlußworte rasch verabschiede und für Ihre Aufmerksamkeit danke.

---

3   Erich und Elma Doflein, *Das Geigenschulwerk*, Heft 1, Mainz 1932, Nr. 20 und 129, S. 11 und 43.

Ein Blick auf die Universal-Edition

Aus Anlaß von Alfred Schlees 80. Geburtstag

I.

Als sich gegen Ende des vorigen Jahrhunderts, angeregt durch den Bankier Josef Simon, einige Wiener Musikverleger zusammentaten, um über ein neues Verlagsunternehmen zu beraten, so hatte dies gewiß keine anderen Gründe als die, das Geschäft mit Musikalien zu vergrößern. Es ging nicht um die Gründung eines Verlages, sondern um die Gründung einer Edition – nach dem Vorbild der erfolgreichen Edition Peters in Leipzig –, in welcher alle die musikalischen Werke, die in Haus, Schule und Konservatorium benötigt wurden, in neuer, geschmacklich ansprechender Gestalt bereitgestellt werden sollten, also die klassische Literatur für die gängigen (kleinen) Besetzungen – Klavier solo, Klavier vierhändig, Violine und Klavier, Streichquartett usf. – und die notwendige Unterrichtsliteratur: Schulen und Etüden. Als Name empfahl sich für diese Serie der ambitiös unverbindliche »Universal Edition«. Eine Förderung des Unternehmens erhoffte man sich durch die Akzentuierung eines patriotischen Motivs. Durch diese Serie sollte der ausländischen – lies: reichsdeutschen – Produktion ein Markt streitig gemacht werden. Simon, der Schwager von Johann Strauß, und die führenden Musikverleger Wiens bildeten ein Konsortium und beauftragten angesehene Musiker wie Anton Door, Julius Röntgen, Josef Hellmesberger, Ignaz Brüll u.v.a.m. mit der Revision des Notentextes und der Herausgabe.

Die Sache war gut vorbereitet, denn bereits zu Beginn des Jahres 1901, der zugleich ein Jahrhundertbeginn war, erschienen die ersten Bände. Die ersten vier Nummern zieren sinnigerweise die vier Bände der Klaviersonaten von Joseph Haydn, denn Haydn war schließlich der einzige Österreicher der Wiener Klassiker. Im ersten Jahr brachte es die Universal-Edition immerhin auf etwa 400 Nummern, eine gewaltige Leistung, denn teilweise handelt es sich dabei um umfangreiche Sammelwerke. Dem Programm gemäß erschienen in diesem Jahr nicht nur die Klavierwerke von Bach, Haydn, Mozart, Beethoven, Schubert, Schumann und Chopin, auch solche von John Field, Hummel, Diabelli, Clementi, sondern auch Bearbeitungen, vor allem Arrangements von beliebter Orchestermusik (z.B. Mendelssohns

Symphonien und Ouvertüren, 4hdg., Nr. 13, 14, 15) und Opern (*Don Juan*, 2hdg., Nr. 16; *Freischütz*, 2hdg., Nr. 31; *Fidelio*, Nr. 34). Violinsonaten und Streichquartette der klassischen Meister gehören ebenfalls zu den frühesten Ausgaben (Haydn: Nr. 62–64; Beethoven: Nr. 65–68, 83–86; Mozart: Nr. 73–82).

Sehr wichtig, von allem Anfang an, die Unterrichtsmusik! Neben den klassischen Cramer-Etüden (Nr. 17–20) erschienen allein von Czerny sogleich nicht weniger als 30 Hefte! Für den Violinunterricht war das Angebot vielleicht noch größer: Etüden (Mazas, Kreutzer, Rode, Fiorillo), Duos (u.a. Kalliwoda, Viotti), schließlich die Konzerte, die nur noch für den Unterricht bedeutungsvoll waren: Rode, Viotti, Spohr, später auch Bériot. Und für die Gesangseleven gab es, neben Liederalben (Schubert, Schumann, Loewe), Klavierauszüge und die offenbar unentbehrlichen Leçons, Exercises und Vocalises von Concone. Der Erfolg ließ denn auch nicht auf sich warten: das »K.K. österreich. Unterrichts-Ministerium hat mit Erlaß vom 5. Juli 1901 (Z. 20.567) die Verlagswerke der Universal-Edition als Lehrmittel allen Schulen und Musik-Bildungs-Lehranstalten empfohlen« (bestätigt durch den Erlaß vom 12. Juni 1902 [Z. 19.042]). Das neue Unternehmen, das sich im Juni 1901 als »Verlags Actien Gesellschaft« konstituiert und in den Herren Bernhard Herzmansky, Adolf Robitschek, Josef Weinberger und Josef Simon einen Verwaltungsrat gewählt hatte, war jedoch nicht nur, was den Inhalt der Publikationen betrifft, ehrgeizig, sondern auch, was die materielle Qualität der Produkte betrifft. So konnte man im *Neuen Wiener Tagblatt* vom 9. August 1901 lesen:»Was die Form, das ist Stich, Druck, Papier und Ausstattung anlangt, werden die Bände der ›Universal-Edition‹ alle bestehenden Klassikerausgaben übertreffen.« Es ist schon viel, daß sich ohne Übertreibung sagen läßt, der Verlag habe wenigstens gelegentlich seine Vorsätze realisiert.

Die Richtung der Verlagstätigkeit stand fest: der Kreis, der als Käufer angesprochen werden sollte, bestand aus Hausmusikern und Studierenden. Vierhändige Opernauszüge mit eingezogenen Singstimmen, wie sie namentlich Alexander Zemlinsky fertigte, zwei- und vierhändige Symphonieauszüge kamen überhaupt nur fürs häusliche Musizieren in Betracht, zur Vorbereitung auf eine bevorstehende Aufführung oder als Ersatz für nicht stattfindende Konzerte. Deshalb erschienen allmählich, wenn auch nicht gleich im ersten Jahr, zahlreiche Auszüge neuerer Werke, namentlich der Symphonien von Bruckner, über deren Rechte Herzmansky, der Direktor des Musikverlags Doblinger, verfügte.

Die erste große Zäsur, die den Verlag in die Richtung seiner künftigen Bestimmung wies, verbunden mit einer gewissen Internationalisierung, bedeutete der Ankauf des Musikverlags Josef Aibl in München im Jahre 1904. Aibl war einer der wichtigsten Verleger der damaligen Moderne; sein Besitzer war befreundet mit Hans von Bülow, und so fanden sich, neben Peter Cornelius, Josef Rheinberger, Alexander Ritter und Bülow selbst, hauptsächlich die früheren Werke von Richard Strauss und, durch diesen vermittelt, die von Max Reger im Verlag. Von Strauss waren dies, neben der frühen Kammermusik, vor allem das so erfolgreiche Liedschaffen und die Symphonischen Dichtungen (*Don Juan, Tod und Verklärung, Till Eulenspiegel*), von Reger die großen Orgelwerke, daneben Klavier- und Kammermusik sowie Chöre und Lieder. Auch Franz von Suppé zierte jetzt (vor allem mit Ouvertüren-Alben) den Katalog und, für den Unterricht bedeutsam, Bülows damals allbeliebte instruktive Ausgaben älterer Werke – die sogenannten »Konzertprogramme« – und die der klassischen Etüden (Cramer, Chopin). Auch die Violinisten gingen nicht leer aus: von Singélée erschienen die Opernbearbeitungen für Geige und Klavier und einiges von Ševčik. Neben Reger und Strauss trat allmählich, durch Verlagsübertragung (von Weinberger und Doblinger), Gustav Mahler. Auch hier erschienen, wie von Strauss' symphonischen Werken, Klavierauszüge und Studienpartituren, die sich, zum Verdruß der Herren Kapellmeister, von den großen Partituren, die zunächst nicht neu hergestellt wurden, in mancher Einzelheit unterschieden. Mit Mahler persönlich kam es erst Jahre nach dessen Weggang aus Wien, 1909, zu einer festen Verbindung, mit Reger und Strauss, die längst anderweitig gebunden waren (Strauss bei Leuckardt, Reger bei Lauterbach und Kuhn), nur zu einer flüchtigen persönlichen Verbindung.

Die Universal-Edition wurde der Mahler-Verlag, obgleich doch nur drei Werke – Achte und Neunte Symphonie, *Lied von der Erde* – hier ihre Erstausgaben fanden. Auch Bruckners Werke gelangten im Laufe der Zeit in den Besitz der Universal-Edition, aber hier war das Problem der Fassungen noch viel verwirrender; und außerdem gab es einen großen Bestand an Frühwerken, der auch betreut sein wollte. Josef Venantius von Wöss, ein Musiker von hohen Graden, war einer der guten Geister, die ihre Arbeitskraft anderen, vor allem Bruckner und Mahler, widmeten. (Da die Werke Bruckners bereits im Jahre 1927 frei wurden, konnten sie für die weitere Verlagsgeschichte keine besondere Bedeutung mehr erlangen, trotz der guten Wöss'schen Revisionen!)

Die UE, wie die Universal-Edition stets kurz genannt wird, unternahm nun vielfältige Anstrengungen, die Werke bedeutender Komponisten, die in kleinen Verlagen erschienen waren, zu übernehmen, sei es sie gänzlich zu erwerben, sei es sie wenigstens mitzuvertreiben und so in den Katalog aufzunehmen. In den Jahren seit 1908 kamen so Verträge mit fast allen bemerkenswerten Verlagen zustande, so daß der Katalog mehr und mehr das gesamte zeitgenössische Repertoire umfaßte (vor allem für den Musikalienhandel, das sogenannte »Papiergeschäft«). Bote & Bock in Berlin ließ u.a. Reger und den Nachlaß Hugo Wolfs, Leuckardt einige Sachen von Strauss, Kahnt einiges von Mahler, Fürstner Wagners *Rienzi, Holländer* und *Tannhäuser*, Breitkopf & Härtel Wagners *Tristan* und *Lohengrin* nebst den zugehörigen Bearbeitungen usf. in den UE-Katalog einrücken. So hatte die Universal-Edition bereits nach einigen wenigen Jahren, weniger als einem Jahrzehnt, einen quantitativ und qualitativ unvergleichlichen Katalog aufzuweisen.

II.

Ein Verlag ist immer nur so bedeutend wie die Persönlichkeit des Verlegers. Die Universal-Edition wurde rasch ein großes Unternehmen, bedeutend wurde sie erst durch Emil Hertzka, der 1908 »in den Verwaltungsrat berufen und zum geschäftsführenden Direktor ernannt« wurde (*UE-Jb*. 1926, S. 1). Er war es, der sowohl mit berühmten als auch mit jüngeren, noch nicht arrivierten Künstlern Urheberrechtsverträge abschloß, teils über einzelne Werke, teils sogenannte Generalverträge. Mahler war einer der ersten, Schönberg einer der wichtigsten. Zemlinsky, Schreker, Foerster, Novák, Casella, Szymanowski, Delius, Joseph Marx u.v.a.m. wurden noch vor dem Ersten Weltkrieg gebunden, Bartók, Bittner und Janáček während des Krieges, Hába, Kodály, Kaminsky und Křenek in den Jahren 1919 bis 1921.

Eine Folge des Abschlusses der ersten Verträge war die Verpflichtung des Verlags, auch große Partituren herzustellen: Mahlers Achte Symphonie (1909), Schönbergs *Pelleas und Melisande* op. 5, später dann die *Gurre-Lieder*, deren Stich in Leipzig ausgeführt werden mußte und der kalligraphisch ein Meisterwerk ist (leider zugleich, wie Webern sagte, ein »Meer von Druckfehlern«). Auch Schrekers Opernpartituren (und Aufführungsmaterialien) erforderten gewaltige Investitionen.

Der Verlag expandierte nach allen Seiten: Kirchenmusik, Musikwissenschaften, Volksmusik, Chormusik, Zeitschriftenwesen, schließlich auch Bücher, alles wurde probiert, erstaunlicherweise meist erfolgreich. Aber das Zentrum blieb die Neue Musik, deren Urheber freilich – bei aller Verehrung für Hertzka, in dem sie mit vollem Recht einen Förderer ihrer Sache sahen – nicht selten wegen der Verzögerungen ungehalten wurden. Natürlich denkt jeder Künstler zunächst an sich, und so sieht sich jeder stets zurückgesetzt. Eine unabdingbare Voraussetzung für den Beruf des Verlegers ist die Fähigkeit, nicht nachzutragen, sich durch keinerlei Grobheit, Unsachlichkeit, Unlogik usf. von dem Glauben an die Bedeutung der Künstlerpersönlichkeit, die der Vertragspartner ist, abbringen zu lassen. Der rasche Wetterwechsel – heute Vertraulichkeitsbekundung, morgen Schmähung oder Verdächtigung – darf eine gewonnene Überzeugung nicht erschüttern, auch nicht kleinliches, spießbürgerliches Gehabe. Der gute Verleger ist von einem Autor überzeugt, er wirkt für ihn und dient ihm auf seine Weise.

Emil Hertzka war ganz ohne Zweifel eine der bedeutendsten Musikverlegerpersönlichkeiten unseres Jahrhunderts, generös und geschäftstüchtig, vor allem aber strahlte er eine natürliche Sicherheit und Autorität aus, die selbst die meist schwierigen und nicht selten widerspenstigen Künstler zu respektieren wußten. Hertzka hat den Verlag, vor allem nach dem Ersten Weltkrieg, zu einem internationalen Großunternehmen gemacht, zum zentralen Verlag für Neue Musik und vor allem für neue Opern. Ob er (und sein kundiger Mitarbeiter Hans Heinsheimer) nicht doch bisweilen etwas zu wenig wählerisch waren? Wilhelm Grosz – der bei der Aufführung eines Werkes von Webern in störender Weise feixte und dafür von Adolf Loos öffentlich gerügt wurde – im selben Verlag neben Schönberg und Webern? Oft hat er auch gezögert. Nach der Vollendung der *Harmonielehre* bot Schönberg ein Kontrapunktbuch an. Es blieb ungeschrieben, weil Hertzka zögerte. Und wie viele Jahre hat er gezögert, bis er Berg einen Vertrag anbot? Es spricht jedoch für seine Autorität, daß er zögern konnte, ohne daß ihm die Autoren davonliefen. Sie wollten doch alle bei der UE verlegt werden. Und die, die sich gelöst haben – wie später Schönberg –, hatten es zu bereuen. Aber die UE hat ihnen, soweit es in ihrer Kraft stand, weiterhin geholfen, z.T. selbstlos, ohne geschäftliche Aussichten. Die meisten Opern brachten Mißerfolge, und die Erfolge kamen dann gänzlich unerwartet: *Jonny spielt auf*, *Dreigroschenoper*. Die Erfolge von Schreker verblaßten rasch, die von Janáček und Berg entwickelten sich langsam.

Kein Wunder, daß die Weltwirtschafskrise nicht spurlos am Verlag vor-
überging. 1908 war bereits Dr. Alfred Kalmus in den Verlag eingetreten, aber er
zog sich bald nach dem Krieg zurück, um unter Assistenz von Dr. Ernst
Roth einen eigenen Verlag, den »Wiener Philharmonischen Verlag«, zu
gründen, einen Verlag, der musterhaft ausgestattete Taschenpartituren
herstellen ließ und mit der UE zusammenarbeitete – so ergab sich das Ku-
riosum, daß manche Werke, z.b. Schönbergs drittes Quartett, in zweierlei
Gestalt ihre Erstausgabe erlebten, als UE-Partitur und als Philharmonia-
Partitur – und schließlich mit ihr verschmolzen wurde. In diesen Jahren hat
der Verlag sicher einige seiner schönsten Druckerzeugnisse produziert, z.b.
die schlanke querformatige (gr. 8°) Studienpartitur von Kaminskis Quintett
für Klarinette, Horn und Streichtrio, ein typographisches Meisterwerk.

Die Universal-Edition hat selbstverständlich im Laufe ihrer Entwicklung nicht nur Autoren und Werke gewonnen, sondern auch manches ein-
gebüßt. Bruckner ging, wie gesagt, als er frei wurde, allmählich verloren,
Strauss' Symphonische Dichtungen mußten, in aktueller Notlage, verkauft
werden, und 1938 ging, verursacht durch die politischen Umstände, ein
Teil des Werkes von Bartók verloren.

Hertzka war einer der bedeutenden Musikverleger unseres Jahrhunderts. Er hat durch seine langjährige Tätigkeit als Verlagsdirektor ein Ge-
schäftsunternehmen in eine geistig belebende Institution umgeschaffen; er
hat seine Tätigkeit in den Dienst einer Idee gestellt. Sicher nicht nur der
Idee – der der Neuen Musik –, sondern auch in den der Menschen, die sie
tragen und verkörpern. Und es war weder eine Übertreibung noch Schön-
färberei, als Alban Berg seine Gedenkrede auf Hertzka mit dem Satz be-
schloß: »Von den wenigen Freunden, die wir lebenden Komponisten haben, war einer dieser unser Verleger Emil Hertzka.«

Nach Hertzkas Tod (1932) begann eine wechselvolle Phase in der Geschichte des Verlags. Die Neue Musik verlor viele ihrer Anhänger (und
Käufer), die Besetzung Österreichs zwang führende Männer in die Emi-
gration (Kalmus, Roth, Heinsheimer) und veranlaßte eine Änderung der
Personalstruktur des Verlags; schließlich kam ein Großteil der Aktien in
deutschen Besitz. Es dauerte lange, bis in die frühen fünfziger Jahre, bis
alle die so entstandenen Wirren aufgelöst und alle Rechtsfragen geklärt
werden konnten.

Es war ein großes Glück für die Universal-Edition, daß die Arbeit
gleich 1945 unter der Leitung von Ernst Hartmann und Alfred Schlee wieder aufgenommen werden konnte. Insbesondere war es Schlee, der mit

seinem untrüglichen Sinn für Niveau und für alles Zukunftsträchtige das Erbe Hertzkas antreten konnte, indem er wiederum bedeutende Komponisten und einzelne Werke anderweitig gebundener Komponisten dem Verlag gewann. Mit den Hauptwerken von Stockhausen (*Zeitmaße*, *Gruppen für drei Orchester*), Boulez und Berio hat der Verlag dann auch wieder Maßstäbe für die künstlerische Gestaltung von Musikdruckwerken gesetzt. Schlee hat der Universal-Edition in den Jahrzehnten nach dem Zweiten Weltkrieg ein neues geistiges Profil gegeben. Sein Werk, das Bescheidenheit einstweilen nur wenig erkennbar werden läßt, ist so eng mit dem Leben und dem Schaffen zahlreicher Komponisten von Webern bis Schnittke und Rihm und somit überhaupt mit der Entwicklung der Neuen Musik des letzten halben Jahrhunderts verknüpft, daß es sich jetzt noch nicht angemessen würdigen läßt. Aber soviel ist sicher: Schlee hat nicht nur den Verlag, als dessen einer Direktor er wirkt, gefördert, sondern, indem er Komponisten, denen er vielfach freundschaftlich verbunden ist, beistand, die Sache der Neuen Musik, wohl überhaupt die Musik als Kunst. Der Begriff der Förderung ist hier sicher eine Untertreibung, hat Alfred Schlee doch Untergehendes gerettet und buchstäblich Existenzgrundlagen geschaffen. Es geht ihm eben nicht nur um die Kunst – die einer mittlerweile als veraltet geltenden Anschauung zufolge das Höchste ist –, sondern auch um die Menschen. Er weiß, daß die Beziehung zwischen den Menschen »Autor« und »Verleger« bei aller Freundschaft etwas Besonderes ist, soll sie doch die Grundlage einer zugleich ersprießlichen und für beide Seiten vorteilhaften Zusammenarbeit sein. Kurt Wolff, einer der großen Verleger unserer Zeit, hat dies, am Ende seines Lebens, allgemein gültig formuliert: »Die Beziehung zum Autor muß von des Verlegers Seite eine Liebesbeziehung sein, die nichts fordert, die schon im voraus verziehen hat: die kleinen Unzuverlässigkeiten, und auch die immer mögliche große Untreue.«

Wissenschaft als Kunst
Theodor W. Adorno zur zehnten Wiederkehr des Todestages
(6. 8. 1979)

Adorno war gewiß nicht das, was man sich unter einem deutschen Professor vorstellt. Er war weder ein Forscher, der in Archiven oder Bibliotheken nach unbekannten Quellen suchte, noch einer, der zum Zwecke der Klärung eines speziellen Problems systematisch Quellen sammelte und interpretierte; er war auch kein Gelehrter, der in einem bestimmten Spezialgebiet – sei es nun ein philosophisches, soziologisches oder sonst eines – alles Wissbare an Fakten wissen wollte (und also wußte), er war etwas ganz anderes. Weder das Ideal der systematischen Forschung noch das der umfassenden Gelehrsamkeit besaß für ihn irgend etwas Anziehendes. Er sperrte sich einerseits der Spezialisierung, ohne die Forschung heute gar nicht mehr denkbar ist, andererseits legte er kaum Wert auf jene Art von Sachwissen, dessen Unerschöpflichkeit den wahren Gelehrten kennzeichnet. In der akademischen Gelehrtenwelt, wie sie in Deutschland – trotz aller Krisen und Degenerationserscheinungen – bis in die sechziger Jahre unseres Jahrhunderts bestanden hat, war Adorno ein Outsider. Nicht nur war er schwer auf ein Fach festzulegen – er galt als Philosoph, als Soziolog und als Musikwissenschaftler –, er wollte sich auch gar nicht festlegen lassen. Musikwissenschaftler wollte er schon gar nicht sein, Soziolog schon eher, nur der Titel eines Philosophen schien ihm angemessen, insofern diese Wissenschaft am älteren Ideal der Universalität, der alles umfassenden Grundwissenschaft, festhielt. Philosophische Forschung – auch philologische Befassung mit einem philosophischen Text – war seine Sache nicht, sondern die Spekulation, das Spiel der Gedanken, das einzig des als Individualität entwickelten freien Menschen würdig ist. Zwar meinte er feststellen zu können, daß das Zeitalter des Individualismus vorbei sei, aber er selbst hoffte doch, ihm, und sei es um den Preis des Anachronismus, noch zuzugehören. Wahrscheinlich hat er da nicht ganz falsch gesehen.

Über Adornos Leben wissen wir noch wenig. Es gibt Biographien von Benjamin, Horkheimer, Bloch, Wittgenstein, aber – bei mittlerweile beängstigend umfangreicher Sekundärliteratur – keine Adorno-Biographie. Aber eines ist ohnehin einsichtig: Adorno galt die Kunst mehr als die Wissenschaft. Sein Zentrum war die Musik, daneben hatte noch vor allem die Literatur Gewicht. Die bildende Kunst tritt weit zurück. Die prägenden

Erfahrungen seiner Jugend waren – soweit sich das schon erkennen läßt –
künstlerische: *Die Gezeichneten* von Schreker, die zweite Symphonie von
Křenek, Bergs *Wozzeck*-Fragmente und schließlich die Oper *Wozzeck*, und
dann vor allem Schönberg, der, wie Horkheimer, wenn auch auf andere
Weise, sein Leben bestimmte. Adorno hat sich, was im öffentlichen Bewußtsein doch sich nicht durchgesetzt hat, zunächst als Komponist gefühlt.
Er war Schüler Alban Bergs, und es ist rührend, heute zu sehen, wie sich
der große Komponist für seinen »Doktor«, von dessen Kompositionen er,
ebenso wie später Ernst Křenek, eine hohe Meinung hatte, einsetzte. – Und
tatsächlich ist unverkennbar, daß er sich in der Zeit zwischen 1925, dem
Jahr der Uraufführung des *Wozzeck*, und 1935, dem Jahr der Uraufführung
der *Lulu*-Symphonie, so entschlossen für das, was er als das ästhetisch
Wahre (und geschichtsphilosophisch einzig Legitime) erkannt hatte, einsetzte. Er hat es aber nicht erkannt, weil er im Besitz der richtigen Theorie
war (also das richtige Bewußtsein hatte), sondern weil er eine ungewöhnliche künstlerische Sensibilität besaß. Er hatte – um es in gänzlich veralteten
Kategorien auszudrücken – einen guten (beinahe möchte ich sagen, einen
in Sachen zeitgenössischer Musik unfehlbaren) Geschmack. (Wenn einmal
seine Kritiken aus jener Zeit gesammelt vorliegen werden[1], wird erkennbar
werden, daß seine Bedeutung als Musikkritiker nur mit der E.T.A. Hoff-
manns verglichen werden kann.)

Adorno war ein Künstler. Wenn er Klavier spielte – und er hatte wahrlich anderes zu tun als Klavier zu üben –, war er ganz gegenwärtig. Gerade
in seiner letzten Lebenszeit hat er wieder mehr (auch öffentlich) gespielt.
Aber er war kein klavierspielender Philosoph, sondern ein Musiker, der
(nicht nur auch) philosophierte. Es wäre sicherlich absurd, sein Klavierspiel oder seine kompositorische Tätigkeit höher zu schätzen als sein Phi-
losophieren. Aber wäre es auch noch absurd, sein Künstlertum als Ganzes
geringer zu schätzen? Ist es nicht vielmehr auffallend, daß stets dann,
wenn das höchste Lob, die Erkenntnis der hohen Qualität, des obersten
Ranges ausgesprochen wird, die Kunst, speziell die Musik, ins Spiel
kommt? Von Hegels Philosophie heißt es, sie »rausche« (*Drei Studien zu
Hegel*, 1963, S. 64), und an anderer zentraler Stelle erkennt Adorno, daß
»spekulative Philosophie... und Musik miteinander verschwistert« seien (S.
108). Die Erkenntnis einer Analogie zwischen Musik und Philosophie
(lies: Beethoven und Hegel), die mehr sei als Analogie, ist das Zentrum

---

1   [1995: jetzt in: Gesammelte Schriften 18–20 (1984–1986)]

von Adornos Hegelinterpretation und erklärt zugleich auch das Unverständliche. »Vielleicht hilft zum Verständnis dieser Analogie wie zum Innersten Hegels, daß die Auffassung der Totalität als der in sich durch Nichtindentität vermittelten Identität ein künstlerisches Formgesetz auf's philosophische überträgt.« Sein Lob gilt dem Unverständlichen als dem nicht ganz Verständlichen. Zum Wesen der Philosophie und dessen Verständnis gehört es vielmehr, daß man nichts so ganz wörtlich nimmt. Und dem entspricht die Einsicht, daß das Spezifische an einem Werk adäquater sich wahrnehmen läßt, solange man noch nicht ganz genau weiß, was da vorgeht, das Ahnungsvermögen also noch nicht durchs Bescheidwissen verdrängt ist. Aus diesem Grund war Adorno auch skeptisch gegen Kommentare neuer Werke, die das Befremdliche wegerklärten. In den Werken der Kunst soll, wie in den philosophischen, etwas sein, was sich dem bloßen Verstand entzieht, was verhindert, daß sich aus den Werken und Texten praktikable Gegenstände machen lassen. Ganz konsequent war er so auch gegen eine Kunst eingenommen, die nicht mehr sein will als eine praktikable Vorlage für irgendeine Kunstübung, etwa eine Spielmusik, die sich damit bescheidet, Übungsstoff zu sein. Das, was einer solchen Musik fehlt – er hatte dafür viele Ausdrücke –, galt ihm als das Wichtigste. Und genau dasselbe war es, was ihn stets wieder an Hegel fesselte, von dem er sagte, daß bisweilen nicht einmal auszumachen sei, wovon überhaupt die Rede gehe.

Das Künstlerische Adornos drückt sich auch, und zwar auf unverwechselbare Weise, in seiner Sprache aus. Die seiner persönlichen Art zu denken und zu schreiben angemessenen Formen sind denn auch nicht die gelehrte Abhandlung oder die umfangreiche Monographie, sondern der Essay und der Aphorismus: Wissenschaft als Kunst. Unübertroffen und, was noch wichtiger ist, unüberbietbar ist mancher seiner Essays, wie sie sich in den *Noten zur Literatur* oder in den *Musikalischen Schriften* finden. Selbstverständlich hat er auch in einzelnem die zünftige Wissenschaft gefördert, aber das spielt doch gar keine Rolle gemessen an seinem Einfluß auf die Entwicklung der Musik in den fünfziger Jahren oder auf die Durchsetzung Mahlers als Komponist in den sechziger Jahren. Adorno war eben mehr als ein Forscher, der seinen Teil zum Fortschritt einer Disziplin (oder auch mehrerer Disziplinen) leistet. Er hat als Schriftsteller, dessen angemessener Gegenstand die Kunst, vor allem die Musik, war, tief gewirkt. Er, der in der Kunst nichts Unverbindliches sah, sondern, wie in der Philosophie, etwas, was an Verbindlichkeit die empirische Wissenschaft übertrifft, war ein denkender Künstler mit der für einen bedeutenden Künstler

unserer Zeit wichtigsten Eigenschaft: Unverwechselbarkeit, Unvergleich-
lichkeit.

»Ich habe nichts als Rauschen.« Diesen Vers von Rudolf Borchardt hat
Adorno so sehr geliebt, daß er ihn vielfach zitierte und sogar einmal als
Motto für eine Hegelstudie wählte. Der Vers gehört, nach Adornos
Dictum, zu den Zeilen, »die klingen, als wären sie immer schon da gewe-
sen«. Solche Zeilen zu schreiben ist das Höchste, was ein Dichter vermag.
Es ist gut, dies vom Meister der kritischen Theorie in Erinnerung gerufen
zu bekommen.

Nachweise

Über August Halm, Freier Vortrag (14. November 1989) im Rahmen des Symposions »Musik in der Verantwortung – Verantwortung in der Musik«, Nachschrift, veröffentlicht in: August-Halm-Preis 1989 für Ernest Bour. Festschrift, Trossingen 1989, S. 6–12

Hans Pfitzners Eichendorff-Kantate »Von deutscher Seele«, Vortrag auf dem Internationalen Kongreß der Eichendorff-Gesellschaft in Erlangen am 16. Juli 1986, veröffentlicht in: Aurora. Jahrbuch der Eichendorff-Gesellschaft 48 (1988), S. 119–130; auch in: Mitteilungen der Hans-Pfitzner-Gesellschaft, Neue Folge, Heft 50 (Juni 1989), S. 5–21

Max Regers Kunst im 20. Jahrhundert – über ihre Herkunft und Wirkung, Vortrag bei den Weidener Musiktagen am 12. März 1988, veröffentlicht in: Reger-Studien 4. Colloque franco-allemand. Deutsch-französisches Kolloquium. Paris 1987, hg. von Susanne Shigihara (= Schriftenreihe des Max-Reger-Instituts Bonn, Bd. 9), Wiesbaden 1989, S. 173–191

Alexander Zemlinsky – ein unbekannter Meister der Wiener Schule, in: Kieler Vorträge zum Theater 4, hg. von der Gesellschaft der Freunde des Theaters in Kiel e.V., Kiel 1978, S. 4–41. – Der Aufsatz ist der ausgearbeitete Text eines freien Vortrages, der am 28. April 1977 in Kiel gehalten wurde. Es sind in ihn ältere Aufzeichnungen, die bei verschiedenen Gelegenheiten im Rundfunk gesprochen wurden, eingeflossen.

Arnold Schönberg, Vortrag im Süddeutschen Rundfunk, veröffentlicht in: Hans Jürgen Schultz (Hg.), »Es ist ein Weinen um die Welt«. Hommage für deutsche Juden unseres Jahrhunderts, Stuttgart 1990, S. 169–190

Franz Schreker, in: Franz Schreker Symposion [1978], hg. von Elmar Budde und Rudolf Stephan (= Schriftenreihe der Hochschule der Künste Berlin, Bd. 1), Berlin 1980, S. 13–22

Alban Berg, Festvortrag zur Eröffnung der Alban-Berg-Ausstellung im Prunksaal der Österreichischen Nationalbibliothek am 22. Mai 1985, veröffentlicht in: Biblos 34 (1985), Heft 3, S. 206–213

Der frühe Hindemith, Einleitende Bemerkungen zum Kolloquium Berlin, März 1987, veröffentlicht in: Hindemith-Jahrbuch 16 (1987), Mainz 1991, S. 9–17

Einfachheit oder Vereinfachung. Zur Musik des jungen Orff, Referat auf dem Symposion Carl Orff, München, 23. November 1987, veröffentlicht in: Bayerische Akademie der Schönen Künste. Jahrbuch 2, München 1988, Bd. 1, S. 260–267

Ein Blick auf die Universal-Edition. Aus Anlaß von Alfred Schlees 80. Geburtstag, in: ÖMZ 36 (1981), Heft 12, S. 639–644

Wissenschaft als Kunst. Theodor W. Adorno zur zehnten Wiederkehr des Todestages (6. 8. 1979), in: Musica 33 (1979), Heft 5, S. 493f.

Personenregister

Adamy, Bernhard 23
Adler, Alfred 99
Adler, Felix 79
Adler, Oscar 100
Adorno, Theodor W. 7, 62, 92, 140, 165–168
Aibl, Josef 159
Albrecht, Gerd 141f.
Altenberg, Peter 71, 119f., 135, 140, 153
Ammann, Heinrich 76
Ansorge, Conrad 74
Aruns, Max 108
Auber, Daniel François Esprit 118

Bach, David Josef 100
Bach, Johann Sebastian 12ff., 21, 37, 40ff., 46f., 49f., 55, 57, 62, 115, 124, 133, 139, 146f., 157
Bahr, Hermann 72
Balzac, Honoré de 104
Bartók, Béla 7, 83, 144, 160, 162
Bauer, Anton 123
Beethoven, Ludwig van 14, 16f., 22f., 33, 37, 50, 115, 124, 157f., 166
Bekker, Paul 50, 58, 125f., 128
Benjamin, Walter 165
Berg, Alban 7, 35, 60, 65f., 71, 78, 83, 89, 92, 97, 126, 133–141, 152, 154, 161f., 166
Berio, Luciano 163
Bériot, Charles-Auguste de 158
Berrsche, Alexander 26, 28, 32, 130

Besseler, Heinrich 47
Bethge, Hans 21
Bie, Oscar 72
Bittner, Julius 160
Bloch, Ernst 56, 165
Borchardt, Rudolf 168
Bornefeld, Helmut 63
Bote & Bock 160
Boulez, Pierre 163
Brahms, Johannes 14, 26, 35, 37ff., 47, 52, 67ff., 74, 82, 94, 100, 107, 115, 122, 134, 142, 146, 153
Breicha, Otto 127
Breitkopf & Härtel 160
Brotbeck, Roman 49
Bruckner, Anton 13, 15, 35, 48, 52, 57, 64, 158f., 162
Brüll, Ignaz 157
Büchner, Georg 136
Bülow, Hans von 159
Busch, Adolf 53
Busoni, Ferruccio 39f., 46, 65, 75, 127
Buxtehude, Dietrich 55

Cadenbach, Rainer 60
Casella, Alfredo 160
Cassirer, Fritz 65
Chamisso, Adalbert von 22
Chopin, Frédéric 157, 159
Clementi, Muzio 157
Concone, Giuseppe 158
Cornelius, Peter 31, 146, 159

Cramer, Johann Baptist 158f.
Curjel, Hans 80
Czerny, Carl 158

David, Johann Nepomuk 58
Debussy, Claude 76, 149, 152ff.
Decsey, Ernst 67
Dehmel, Richard 72, 101, 103f., 154
Delius, Frederick 160
Diabelli, Anton 157
Doblinger, Ludwig 158f.
Doflein, Elma 156
Doflein, Erich 156
Door, Anton 67, 69, 157
Dorfmüller, Kurt 24, 143
Draeseke, Felix 37
Dukas, Paul 76, 123f.
Dvořák, Antonín 71

Eichenauer, Richard 59
Eichendorff, Joseph von 21–35, 42f., 49f., 70
Einstein, Alfred 23, 143
Epstein, Julius 69
Erb, Karl 23f.

Fiebig, Paul 89
Field, John 157
Fiorillo, Federigo 158
Florimo, Francesco 38
Foerster, Joseph 160
Fortner, Wolfgang 57f., 63
Freud, Sigmund 99, 131
Friedmann, A. 73
Fritzsch, Gerhard 127
Fuchs, Hans 67
Fuchs, Robert 67, 122
Fürstner, Adolph 160

Geibel, Emanuel 21
George, Stefan 30, 56, 102
Gerstl, Richard 77
Gmeindl, Walter 131
Goethe, Johann Wolfgang von 21, 24
Gottschall, Rudolf von 68
Grabner, Hermann 58
Gregor, Hans 125
Greissle, Felix 152
Grosz, Wilhelm 161
Grunsky, Karl 15
Gülke, Peter 75

Haack, Helmuth 96
Haas, Joseph 58
Hába, Alois 160
Halm, August 7, 9–20, 42, 56, 147
Händel, Georg Friedrich 13f., 133, 147
Hansen, Wilhelm 68
Hanslick, Eduard 11, 73
Harburger, Walter 58
Hartmann, Ernst 162
Hase-Koehler, Else von 39, 41
Hasse, Karl 38, 48, 50, 58ff.
Hauptmann, Gerhart 123
Haydn, Joseph 14, 157f.
Hebbel, Friedrich 42f., 49, 52, 61
Hegel, Georg Wilhelm Friedrich 166ff.
Heine, Heinrich 84f.
Heinsheimer, Hans 161f.
Hell, Helmut 52
Hellmesberger, Josef 157
Herder, Johann Gottfried 10
Hertzka, Emil 136, 160ff.
Herzl, Theodor 108

Herzmansky, Bernhard 158
Heuberger, Richard 73
Heuß, Alfred 145
Hilmar, Ernst 97
Hindemith, Paul 7, 35, 58f., 62, 137, 139, 141–148
Hinrichsen, Henri 62
Hoffmann, Ernst Theodor Amadeus 166
Hoffmann, Josef 119
Hoffmann, Rudolf Stephan 77, 124ff.
Hofmannsthal, Hugo von 73, 119
Hölderlin, Friedrich 26
Honigsheim, Paul 56
Horkheimer, Max 165f.
Hornbostel, Erich Moritz von 143
Hummel, Johann Nepomuk 157
Hundertwasser, Fritz 127f.

Ivogün, Maria 23f.

Jacobsen, Jens Peter 73, 101
Jalowetz, Heinrich 65, 80
Janáček, Leoš 160f.
Jemnitz, Alexander 62
Jöde, Fritz 57

Kafka, Franz 133
Kahnt, C. F. 160
Kalliwoda, Johann Wenzel 158
Kalmus, Alfred 162
Kaminski, Heinrich 151, 160, 162
Kandinsky, Wassily 102, 106, 108, 135
Kant, Immanuel 9

Kapp, Julius 123, 126
Kauffmann, Emil 13
Keller, Wilhelm 155
Kernstock, Ottokar 107
Klabund 81, 95
Klemm, Eberhardt 62
Klemperer, Otto 80
Klemperer, Viktor 76
Klimt, Gustav 119
Kodály, Zoltán 160
Kokoschka, Oskar 119, 137
Kolisch, Rudolf 65, 139
König, René 56
Konold, Wulf 84, 147
Konta, Robert 77
Korngold, Julius 77
Kraus, Karl 71, 108, 133, 140
Krause, Martin 41
Křenek, Ernst 126, 146, 160, 166
Krenn, Franz 67
Kretzschmar, Hermann 12, 125
Kreutzer, Rodolphe 158
Krug, Walter 56f.
Kruttge, Eigel 80
Kurth, Ernst 18

Lasker-Schüler, Else 142
Lauterbach und Kuhn 159
Leuckardt, F. E. 159f.
Lietz, Hermann 14
Ligeti, György 63
Liliencron, Detlev von 68
Lindner, Adalbert 39
Lingg, Hermann 153
Liszt, Franz 30, 37f., 40f., 45f., 63, 74, 145
Loewe, Carl 158
Loos, Adolf 128, 161

Lorenzen, Johannes 41
Lotze, Hermann 34
Luitpold von Bayern, Prinzregent 68
Luther, Martin 44ff., 94

Maeterlinck, Maurice 68, 75f., 78f., 82ff., 92, 95, 101, 123, 149, 152ff.
Mahler (geb. Schindler), Alma 74ff.
Mahler, Gustav 7, 21ff., 30f., 35, 38, 41, 43, 52, 62, 64, 67, 69, 73ff., 80, 82, 84, 89f., 94f., 107, 118f., 124, 133, 144f., 159f.
Maler, Wilhelm 57
Mann, Thomas 23
Marc, Franz 135
Marteau, Henri 53
Marx, Adolf Bernhard 28
Marx, Joseph 160
Mattheson, Johann 10
Mazas, Jacques 158
Mell, Max 119
Mendelssohn Bartholdy, Felix 14, 21, 157f.
Mersmann, Hans 147
Metz, Günther 142
Moldenhauer, Hans 61
Moldenhauer, Rosaleen 61
Mombert, Alfred 135
Mörike, Eduard 13
Moser, Kolomann 119
Mottl, Felix 52
Mozart, Wolfgang Amadeus 78, 97, 115, 157f.
Müller von Asow, Erich H. 123
Münster, Robert 52

Nagel, Willibald 79
Neuwirth, Gösta 123
Nietzsche, Friedrich 37, 47, 94
Nordwall, Ove 63
Novák, Vítežlav 160
Orff, Carl 7, 149–156
Ostwald, Wilhelm 18
Otto, Werner 38

Pass, Walter 75
Petersen, Carl 56f.
Petschnig, Emil 126
Pfitzner, Hans 7, 21–35, 64, 79, 118, 130, 139
Pillney, Karl Hermann 59
Pisk, Paul A. 61
Popp, Susanne 46, 49, 51, 60
Pratella, Francesco Balilla 151
Prechtl, Robert 127
Proust, Marcel 133

Rabl, Walter 68
Raphael, Günter 58
Rauchhaupt, Ursula von 83
Redlich, Hans Ferdinand 135
Reger, Max 7, 21, 30, 37–64, 69, 75, 83, 94, 118, 130, 142, 147, 152, 159f.
Rexroth, Dieter 142
Rheinberger, Joseph 14, 161
Riemann, Hugo 38ff.
Rihm, Wolfgang 163
Rilke, Rainer Maria 110, 112, 126
Ritter, Alexander 159
Robitschek, Adolf 158
Rode, Pierre 158
Röntgen, Julius 157
Rosegger, Peter 133

Roth, Ernst 162
Rottenberg, Ludwig 124
Rückert, Friedrich 21
Rufer, Josef 78

Saar, Ferdinand von 122
Sachsen-Meiningen, Herzog von 48
Salomon, Karl 43
Schalk, Franz 52
Scheffel, Viktor von 122
Schenker, Heinrich 18, 42, 56
Scherchen, Hermann 81
Schillings, Max von 79, 118
Schlaf, Johannes 135
Schlee, Alfred 7, 157–163
Schlensog, Martin 57
Schmalzriedt, Siegfried 56
Schnirlin, Ossip 59
Schnittke, Alfred 163
Schnitzler, Arthur 123, 131
Schönberg (geb. Zemlinsky), Mathilde 66, 74
Schönberg, Arnold 7, 17, 19f., 30, 35, 38, 60ff., 64ff., 70ff., 74ff., 80ff., 89f., 94, 97, 99–116, 118, 123f., 129f., 133f., 137 140, 143ff., 147, 149ff., 160f., 166
Schopenhauer, Arthur 29, 47
Schreiber, Ingeborg 60
Schreiber, Ottmar 52, 60
Schreker, Franz 7, 76, 78f., 83, 117–131, 137, 144, 160f., 166
Schubert, Franz 14, 22, 40, 61, 134, 157f.
Schumann, Robert 14, 21ff., 33, 84, 94, 133, 157f.
Schütz, Heinrich 10, 57, 133
Schweiger, Werner J. 120

Sekles, Bernhard 144
Ševčik, Otakar 159
Sibelius, Jean 64
Simon, Josef 157f.
Simrock, Fritz 68
Singélée, Jean-Baptiste 159
Smetana, Bedřich 81, 96
Sonderling, Jakob 113
Specht, Richard 77, 125
Spohr, Louis 158
Stefan, Paul 38
Stein, Erwin 65, 139
Stein, Fritz 60
Steinbach, Fritz 52
Steinhard, Erich 80, 95f.
Stephan, Rudi 152
Stern, Georg 41
Steuermann, Eduard 65, 139
Stockhausen, Karlheinz 163
Straube, Karl 41, 46, 49ff., 53f., 58f.
Strauß, Johann 157
Strauss, Richard 21, 46, 75f., 82, 101, 118, 123f., 139, 152, 159f., 162
Strawinsky, Igor 7, 80, 144, 148
Strindberg, August 104
Suppé, Franz von 159
Szymanowski, Karol 160

Tagore, Rabindranath 22, 90, 94
Thomas, Werner 149f., 152
Thuille, Ludwig 68
Tieck, Ludwig 9
Trakl, Georg 146

Verdi, Giuseppe 38
Viotti, Giovanni Battista 158
Vojtěch, Ivan 30, 38

Wackenroder, Wilhelm Heinrich 9
Wagner, Richard 13, 31, 34f., 37,
    47, 69, 72, 74, 78, 107, 122, 124,
    126, 131, 138, 151, 160
Walcha, Helmut 55, 63
Walter, Bruno 124f.
Weber, Horst 76, 83
Webern, Anton (von) 7, 60ff., 65,
    78, 83, 97, 105, 133f., 138,
    160f., 163
Wedekind, Frank 123, 136
Weinberger, Josef 158f.
Weiner, Leo 121
Weingartner, Felix von 14, 76, 124
Weininger, Otto 131, 140
Weißmann, Adolf 58
Wellesz, Egon 61
Werfel, Franz 38, 154
Wertheimstein, Josephine von 122

Whitman, Walt 126
Wickes, Lewis 120
Wiesenthal, Elsa 118ff.
Wiesenthal, Grete 118ff.
Wilde, Oscar 79, 89, 119f., 122f.
Winckelmann, Johannes 56
Wiszniewsky, Egon 38
Wittgenstein, Ludwig 165
Wöss, Josef Venantius von 159
Wolf, Hugo 13, 21, 29f., 67, 72,
    83, 94, 134, 160
Wolff, Erich 56f.
Wolff, Kurt 163
Wyneken, Gustav 14f.

Zemlinsky, Alexander von 7, 22,
    65–97, 100f., 107, 118, 120, 123,
    125f., 138, 158, 160
Zilcher, Hermann 151